Langues pour tous

Collection dirigée par
Jean-Pierre Berman, Michel Marcheteau ~~et~~

Le brésilien
tout de suite !

par

Sylvie Colin

avec la collaboration de
Séréna

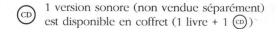

CD 1 version sonore (non vendue séparément)
est disponible en coffret (1 livre + 1 CD)

POCKET

Présentation

Le brésilien tout de suite ! est un ouvrage qui ne nécessite aucune connaissance grammaticale et linguistique préalable ! Il est destiné à tous ceux qui, pour une raison ou une autre, n'ont pas le temps de se consacrer à un apprentissage systématique du ***portugais du Brésil***.

• Il s'agit donc d'un manuel court, conçu pour aider à exprimer un certain nombre de messages simples et pratiques.

• Pour ce faire, il part de formules et d'expressions en français dont il propose l'équivalent en ***portugais du Brésil***. Ainsi, dès la première unité de ce livre, vous pouvez être opérationnel TOUT DE SUITE.

Le brésilien tout de suite ! comprend deux parties :

• **Partie A**, de **1** à **20** :

• Vingt unités de quatre pages construites autour de formules de grande fréquence : *je suis, j'ai, je voudrais, combien… ?, comment… ?, pourquoi… ?*, suivies d'un vocabulaire de base le plus concret possible.

• Des explications et des remarques élémentaires viennent s'y ajouter, renforcées par des exercices avec correction instantanée, ainsi que des **points de civilisation**.

• **Partie B**, de **1** à **20** :

• Vingt unités présentent le vocabulaire par centres d'intérêt : *nourriture, logement, transport, santé*, etc.

• Des exercices avec correction instantanée utilisent les constructions vues en A, appliquées au vocabulaire de B. S'y ajoutent également des **informations pratiques**.

➡En fin de volume, un **mémento grammatical** vous permettra de vous familiariser avec la prononciation et les conjugaisons portugaises : tableaux des conjugaisons des verbes réguliers, des verbes les plus usuels (**ser, estar, ter, haver, ir**), et des verbes irréguliers.

Un **lexique** d'un millier de mots peut être utilisé comme dictionnaire de poche dans les deux sens, brésilien-français, français-brésilien.

Conseils d'utilisation

• **Partie A** : vous pouvez soit l'étudier systématiquement pour vous initier rapidement aux structures les plus courantes du ***portugais du Brésil***, soit, en cas d'urgence, recourir directement à la structure dont vous avez besoin, par exemple A7 : « *Je voudrais* », et la mettre TOUT DE SUITE en application.

• **Partie B** : vous pouvez soit étudier systématiquement les différents secteurs de vocabulaire qui vous sont proposés, soit choisir celui dont vous avez besoin TOUT DE SUITE.

Enregistrement

(CD) Un CD d'environ une heure vous permet de vous familiariser avec la prononciation du brésilien, en écoutant et en répétant les formules les plus utiles.

Prononciation

La prononciation du **portugais du Brésil** ne présente pas de difficultés particulières pour un francophone.

Deux éléments sont fondamentaux pour savoir prononcer les lettres d'un mot :

• leur **place** dans le mot (début ou fin de syllabe). Ainsi, par exemple, le l est prononcé comme dans le français quand il se situe en début de syllabe : **longe** [lonji] *loin*. Mais il se prononce [ou] en fin de syllabe : **Brasil** [brazi-**ou**] *Brésil*.

• l'**accent tonique** (syllabe sur laquelle la voix porte plus fortement) : **o** prononcé comme dans le français *autre* ou *pomme* en position tonique devient [ou] quand il n'est pas dans la syllabe accentué : **coco** [k**o**kou] *noix de coco*.

La prononciation figure entre crochets et la syllabe accentuée y apparaît en gras, ex. : **bonito** [bo**ni**toul].

Outre la table de prononciation de la page 127 qui récapitule les variantes de prononciation, des explications concernant la prononciation et la place de l'accent tonique sont données tout au long de cet ouvrage.

Langues pour tous propose une série d'ouvrages adaptés à tous les niveaux et tous les besoins (méthodes générales et spécialisées, dictionnaires, grammaire, chansons, etc.).

La méthode **40 leçons pour parler portugais**, vous permettra d'acquérir en profondeur les éléments de base de la grammaire communs au portugais du Portugal et du Brésil (voir catalogue *Langues pour tous*).

© 2003 Pocket – Langues pour Tous, Département d'Univers Poche
ISBN : 2-266-13506-6

Sommaire

Partie A

Sommaire
Partie B

Je suis

1 français(e)
2 brésilien(ne)
3 professeur
4 commerçant(e)
5 grand(e)
6 petit(e)
7 célibataire

Je ne suis pas

8 belge
9 étudiant(e)
10 médecin
11 directeur/directrice
12 ingénieur
13 jeune /vieux - vieille
14 marié(e)
15 divorcé(e)

■ **PRONONCIATION**

Comme en français :

c se prononce [s] devant **e** ou **i**   **francesa**, **divorciada**

c se prononce [k] devant **a**, **o**, **u**   **casada**, **médico**

-nh- [ny] se prononce approximativement comme *gn* dans le
français *agneau* : **engenheiro** [ènjé**nyéï**rou] *ingénieur*

Les diphtongues : Voir A6.

engenheiro : le groupe de voyelles **–ei–**constitue une diphtongue.

–ei– se prononce [**éï**] comme dans le français *paye*.

Sou   [so-ou]
  1 francês / francesa   [frans**éïs** / frans**é**za]
  2 brasileiro / brasileira   [brazil**éï**rou / brazil**éï**ra]
  3 professor / professora   [prof**éssô**R / prof**ésso**ra]
  4 comerciante   [komèR**syan**tchi]
  5 alto / alta   [**a**-outou / **a**-outa]
  6 baixo / baixa   [**baï**chou / **baï**cha]
  7 solteiro / solteira   [so-out**éï**rou / so-out**éï**ra]

Não sou   [naon **so-ou**]
  8 belga   [**bè**ouga]
  9 estudante   [échtou**dan**tchi]
  10 médico   [**mè**djikou]
  11 diretor / diretora   [djirét**ô**R / djirét**ô**ra]
  12 engenheiro / engenheira   [ènjé**nyéï**rou / ènjé**nyéï**ra]
  13 jovem/ idoso-idosa   [**jó**vèm / id**ó**zo-id**ó**za]
  14 casado / casada   [ka**za**dou / ka**za**da]
  15 divorciado / divorciada   [djivoR**sya**dou / djivoR**sya**da]

■ **ACCENTUATION**

Tous les mots portugais (sauf quelques uns) ont un accent
tonique oral, c'est à dire une syllabe sur laquelle la voix se porte
plus fortement, avec plus d'insistance. De la place de l'accent
tonique dépend la prononciation des voyelles. Dans cet ouvrage
la syllabe tonique sera indiquée en gras dans la prononciation
figurée entre crochets.

u est toujours prononcé [ou] .

Sou, [**so-ou**], *je suis* : **ou** est une diphtongue, il faut donc
prononcer [o] un peu plus fort que le [ou] qui suit.

r [R] en début et en fin de syllabe est grasseyé comme
en français : **professor** [prof**éssô**R].

Sou, *je suis*, vient du verbe **ser** :

(eu)	**sou**	*je suis.*	[èou **so-ou**]
(você)	**é**	*tu es*	[vossé **è**]
(ele/ela/)	**é**	*il/elle/ est*	[èli/ èla **è**]
(nós)	**somos**	*nous sommes*	[nóis **so**mous]
(eles/ elas)	**são**	*ils / elles sont*	[èlis/èlas **saon**]
(vocês)	**são**	*vous êtes*	[vosséïs **saon**]

• **Ser** est l'un des deux verbes *être* du portugais. **Ser** est employé pour définir, indiquer une qualité permanente, essentielle, déterminante : la nationalité, la profession, le physique …
  Marta e Luiz são altos.   *Marta et Luiz sont grands.*
  Basília é a capital do Brasil. *Brasilia est la capitale du Brésil.*

• Pour obtenir la forme négative on emploie **não**, devant le verbe :
  Não somos engenheiros.   *Nous ne sommes pas ingénieurs.*

• **Eu**, **ele** … Les pronoms sujets :
  L'emploi des pronoms sujets est facultatif :
  Sou suíssa.   *Je suis suisse.*
  Somos belgas.   *Nous sommes belges.*
  Remarque : le pronom **você** s'emploie dans le sens de *tu* mais se conjugue avec la 3ᵉ personne. (voir A2).

■ La grande majorité des mots masculins sont terminés par un –o qu'il faut remplacer par un –a pour avoir un féminin : **alto** – **alta** *grand(e)*, **casado**- **casada** *marié(e)*.
Certains mots ne changent pas de forme : **belga** *belge*, **jovem** *jeune*.
Quand les mots masculins finissent par –**OR** ou -**ES** on y ajoute un –**a** : **professor**- **professora** (Sauf quelques-uns dont : **maior**, *plus grand*, **melhor**, *meilleur*, **menor**, *plus petit*, **pior**, *pire*.)
Attention : Il est parfois nécessaire d'opérer une petite modification orthographique :
franc**ê**s-franc**e**sa, portugu**ê**s-portugu**e**sa.

8

A Comment dire en portugais :

1. *Je ne suis pas étudiante.*
2. *Nous sommes commerçants.*
3. *Elle n'est pas française.*
4. *Il est marié.*

B Complétez :

1. **Nós**..............belgas.
2. **Eles**..............médicos.
3. **Ela**..............brasileira.
4. **Eu**..............professor.

SOLUTIONS

A 1. **Não sou estudante**.

2. **Somos comerciantes.**
3. (**Ela**) **não é francesa.**
4. (**Ele**) **é casado.**

B 1. **somos** 2. **são** 3. **é** 4. **sou**

Le Brésil : quelques chiffres

Le Brésil est un véritable géant. Ses 8 511 965 km² le placent au cinquième rang des plus grands pays du monde (après le Canada, la Chine, les USA et la CEI.) Le territoire brésilien correspond à 16,5 fois la France ou encore à 168,5 fois la Belgique. De l'extrême Nord (**Norte**) à l'extrême Sud (**Sul**) il faut parcourir 4320 km et d'Ouest (**Oeste**) en Est (**Este**) 4336 km.

• 15 719 km de *frontières* (**fronteiras**) avec tous les pays d'Amérique du Sud (hormis l'Equateur et le Chili).

• Dans l'embouchure de l'Amazone (le plus grand fleuve du monde par son débit), une île, **Marajó**, est presque aussi grande que la Belgique.

• Et, pour le plus grand plaisir des voyageurs, le Brésil offre 7 400 km de côtes baignées par l'Océan Atlantique (**o Oceano Atlântico**) .

• Les *montagnes* (**montanhas**) sont, elles, plus modestes puisque le point culminant, le **Pico da Neblina** ne mesure que 3014 m d'altitude). Il est situé, comme le second point le plus élevé, le **Pico 31 de Março** (2992 m) dans l'immense forêt amazonienne qui semble si plate vue d'avion. Le Brésil est loin d'être une basse terre, une grande partie de son territoire est constituée d'un *plateau* (**planalto**) situé entre 300 et 1000 m d'altitude d'où se dressent de nombreuses *chaînes de montagnes* (**serras**).

C'est

1 beau / magnifique
2 ennuyeux
3 loin d'ici/ près d'ici
4 le frère / la sœur de Zé
5 l'époux /l'épouse de …
6 le fils / la fille d'Ana?
7 Felipe ?

Ce n'est pas

8 dangereux
9 bon / mauvais

Tu es

10 de Recife
11 sympathique

Vous êtes (plusieurs personnes à qui l'on dit **você**)

12 français ?
13 brésiliens ?

Vous êtes (vouvoiement)

14 Vous êtes amusante
15 Vous êtes le père de João.

Vous êtes (à plusieurs personnes que l'on vouvoie)

16 Vous êtes les parents d'Iracema ?
17 Vous êtes les enfants de Marcelo ?

■ **PRONONCIATION**
s se prononce [z] quand il est entre deux voyelles : **ca<u>s</u>ado**.
s se prononce [s] devant toutes les voyelles en début de syllabe : <u>s</u>ecretária, can<u>s</u>ado.
s se prononce [ch] quand il est en fin de syllabe : **esposo** [éch**pó**zou].
Les **cariocas**, habitants de **Rio de Janeiro** , ont un accent bien caractéristique dont une des particularité est de chuinter fortement les **s** en position finale (de syllabe ou de mot).

É   [**è**]
  1 bonito-lindo/magnífico   [bo**ni**tou-**lin**dou / mag-**ni**fikou]
  2 aborrecido-chato   [aboRé**ci**dou-**cha**tou]
  3 longe daqui/ perto daqui   [**lon**ji da**ki**/ **pèR**tou da**ki**]
  4 o irmão / a irmã de Zé   [ou iR**maon** / a iR**min** dji **zè**]
  5 o esposo / a esposa de...   [ou échp**ó**zou /a échp**ó**za dji]
  6 o filho / a filha de Ana?   [ou **fi**lyou / a **fi**lya dji **a**na]
  7 Felipe ?   [fé**li**pi]

Não é   [naon **è**]
  8 perigoso   [périg**ó**zou]
  9 bom / ruim   [**bon / rouym**]

Você é   [vo**ssé è**]
  10 de Recife   [dji Ré**ssi**fi]
  11 simpático   [sim**pa**tikou]

Vocês são   [vo**sséis saon**]
  12 franceses ?   [fran**sè**zis]
  13 brasileiros ?   [brazil**éï**ros]

O senhor é/ a senhora é   [ou sény**ôR è** / a sé**nyo**ra **è**]
  14 A senhora é engraçada   [a sé**nyo**ra **è** èngra**ssa**da]
  15 O senhor é o pai de João ?   [ou sény**ôR è** ou **paï** dji **jouan**]

Os Senhores, as Senhoras são   [ous sé**nyo**ris, as sé**nyo**ras **saon**]
  16 Os senhores são os pais   [ous sé**nyo**ris **saon** ous **paï**s
    de Iracema   dji ira**ssé**ma]
  17 Os senhores são os filhos   [ous sé**nyo**ris **saon** ous **fi**lyous
    de Marcelo   dji **ma**Rs**è**lou]

■ **PRONONCIATION**
l se prononce [l] en début de syllabe ou entre deux voyelles :
lindo, **brasileiro** .
l est prononcé [ou] en fin de syllabe : **Brasil** [bra**zi**ou], **solteiro**
[so-out**éï**rou]*célibataire.*

■ *Tu / vous*

Au Brésil le pronom personnel **tu**, *tu*, n'est employé que dans le sud et quelques zones du nord, ailleurs on lui préfère **você**. L'usage de **você** correspond à celui de *tu* en français. Il est même encore plus employé dans la mesure où le vouvoiement, lui, est bien moins utilisé qu'en Français.

Remarquez : il se conjugue avec la 3e personne. Son pluriel est **vocês**.

Você é francês ? *Tu es français ?*

Vocês são brasileiros ? *Vous êtes brésiliens ?*

Pour vouvoyer un homme on emploie : **o senhor**,(abrégé : **o sr**), une femme : **a senhora** (**a sra**).

O senhor é médico ? *Vous êtes médecin ?* (à un homme)

A senhora é engenheira ? *Vous êtes ingénieur ?* (à une femme).

Le pluriel, **os senhores** (**os sres**) s'adresse à une assemblée d'hommes. **As senhoras** (**as sras**), à plusieurs interlocutrices.

Os senhores são os filhos de Rui ? *Vous êtes les fils de Rui ?*

As senhoras são irmãs ? *Vous êtes soeurs ?*

■ Pluriel :

Comme en français, au pluriel, c'est la forme du masculin qui prévaut :

Os filhos, *les fils / les enfants* (garçons et filles). **Os pais**, *les parents*. **Os irmãos**, *les frères et sœurs / les frères*.

■ Les articles définis :

Masculin		Féminin	
singulier	pluriel	singulier	pluriel
o *le*	**os** *les*	**a** *la*	**as** *les*

O irmão de João, *le frère de João*.

Os pais de Pedro, *les parents de Pedro*.

A irmã de Rui, *la sœur de Rui*.

As francesas, *les françaises*.

■ La forme interrogative n'est différente de l'affirmative que par l'intonation, à l'oral et par la présence d'un point d'interrogation à l'écrit.

É bonito, *c'est beau*. **É bonito ?** *Est-ce beau ? C'est beau ?*

➤ **RETENEZ** : **Iracema** est un prénom féminin d'origine amérindienne qui signifie *lèvres de miel* .

A Comprendre :
   1. **Os filhos de Pedro são simpáticos.**
   2. **O Senhor é francês ?**
   3. **Recife é longe daqui.**
   4. **Você é belga ?**

SOLUTIONS

A 1. *Les enfants de Pedro sont sympathiques.*
   2. *Vous êtes français ?*
   3. *Recife est loin d'ici.*
   4. *Tu es belge ?*

LE SYSTÈME FÉDÉRAL (**O sistema federal**)

Le véritable nom du Brésil est : **Estados Unidos do Brasil**, *Etats Unis du Brésil*. C'est donc *une république* (**uma república**) fédérative composée de 26 *Etats* (**Estados**) et d'*un District Fédéral* (**um Distrito Federal**) : *Brasília, la capitale* (**a capital**). L'ensemble du territoire est divisé en 5 grandes *régions* (**regiões**).
• *Le Président de la République* (**o Presidente da República**) dirige *l'union* (**a união**), c'est à dire l'ensemble du Brésil avec l'aide du *Congrès Nacional* (**o Congresso Nacional**) composé de *la Chambre des Députés* (**a Câmara dos Deputados**) et du *Sénat* (**Senado**).
• Les Etats fonctionnent sur le même modèle, dirigés par *un gouverneur* (**um Governador**) élu pour 4 ans, assisté de *l'Assemblée Législative* (**a Assembléia Legislativa**) composée de *Députés d'Etat* (**Deputados Estaduais**).
• La troisième division est le **município**, un équivalent de notre commune ; à sa tête, le **Prefeito** (*maire*) assisté du *conseil municipal* (**a Câmara Municipal**), composée de *conseillers municipaux* (**Vereadores**).
Ce système est d'autant plus complexe que l'on retrouve également ces trois strates pour les polices et pour *le judiciaire* (**o judiciário**).
• Le Brésil est *une démocratie* (**uma democracia**) ; le Président de la République est *élu* (**eleito**) au *suffrage universel* (**sufrágio universal**) et ce, pour cinq ans, avec impossibilité d'être élu pour plus de deux quinquennats consécutifs.

Je suis / J'ai

Je suis

       1 content(e)

       2 malade / fatigué(e)

       3 en retard

       4 en vacances

       5 en train de conduire

       6 en train de travailler.

       7 en train de manger.

       8 à Salvador

       9 au restaurant

     10 à l'aéroport

J'ai

     11 faim / soif

     12 sommeil / de la fièvre

     13 envie de rester ici.

Il

     14 aujourd'hui, il fait beau.

     15 il fait chaud / froid .

■ **PRONONCIATION**

Le **r** est légèrement roulé [r] :

– quand il est entre deux voyelles : **férias** [**fè**ryas]

– dans les groupes de consonnes comme : **- br**, **brasileiro** [brazi**léï**rou],

– **tr**, **atrasado** [atrazadou]…

Rappel : le **r** est grasseyé [R], un peu comme en français, en début et en fin de syllabe : **professor** [profé**ssôR**], **Recife** [**Ré**ssifi], **perto** [**pèR**to], *près*.

(Eu) estou [èou échto-ou]
    1 contente. [kontèntchi]
    2 doente / cansado (a) [doèntchi / kansadou / kansada]
    3 atrasado / atrasada. [atrazadou / atrazada]
    4 de férias. [dji fèryas]

    5 dirigindo. [dirijindou]
    6 trabalhando. [trabalyandou]
    7 comendo. [komèndou]

    8 em Salvador. [saouvadôR]
    9 no restaurante [nou Rèchta-ourantchi]
    10 no aeroporto. [nou aéropóRtou]

Estou com [échto-ou com]
    11 fome / sede [fomi / sèdji]
    12 sono / febre [sonou / fèbri].
    13 vontade de ficar aqui. [vontadji dji fikar aki]

Está [échta]
    14 hoje o tempo está bom [óji ou tèmpou échta bon].
    15 está quente / frio. [échta kèntchi / friou]

■ **PRONCIATION**
Le **t** devant **e**, **i** atones (qui ne fait pas partie de la syllabe accentuée (voir A1) se prononce [tch] : **contente** [contèntchi]…
Le **d** devant **e**, **i** atones se prononce [dji] : **de** [dji], **vontade** [vontadji].
e, en fin de mot, non accentué, se prononce [i] : **febre** [fèbri].
o, en fin de mot, non accentué, se prononce [ou] : **frio** [friou]

■ **Estar** est l'autre verbe *être* :

(eu)	estou	[échto-ou]	*je suis*
(você, o sr, a sra)	está	[échta]	*tu es, vous êtes*
(ele, ela)	está	[échta]	*il/elle est*
(nós)	estamos	[échtamos]	*nous sommes*
(vocês, os sres, as sras)	estão	[éstaon]	*vous êtes*
(eles, elas)	estão	[éstaon]	*ils/elles sont*

• **Estar** est employé pour des situations temporaires temporelles ou spatiales :
– localiser un objet, une personne : **Estou no Rio.** *Je suis à Rio.*
– exprimer un état passager : **Estão cansados.** *Ils sont fatigués.*

• La nuance subtile entre le verbe **ser** (A1) et le verbe **estar** permet, dans certains cas, d'utiliser l'un ou l'autre selon le sens que l'on veut donner :
O Sahara é quente. *Le Sahara est chaud.* (cela fait partie de sa nature).
Hoje, está quente. *Aujourdhui il fait chaud.* (et demain ?)
Ela é doente. *Elle est malade.* (maladie grave, sida, cancer…)
Ela está doente. *Elle est malade.* (une grippe, un rhume…)

• **Etre en train de**, **estar** + verbe au participe présent.
Estamos falando. *Nous sommes en train de parler.*
Está bebendo. *Il est en train de boire.*
Le participe présent : il faut remplacer le **–r** final de l'infinitif par :
-ndo. 1er groupe : verbes terminés en **–ar**, trabalhar : **trabalhando**, 2e groupe, ceux terminés en **–er** comer : **comendo**, 3e groupe, ceux terminés en **-ir** , dirigir : **dirigindo.**

• **Em** : indique un lieu fixe, sans mouvement : *à, dans, au.*
Estou em Salvador, *je suis à Salvador.*
Quand **em** est suivi d'un article défini (voir A2) il se contracte et devient : **no**, **na**, **nos**, **nas**.
Estamos no (em + o) restaurante, *nous sommes au restaurant.*

➡ **RETENEZ : estar com sede**, **fome**, **febre.** Mot à mot : « être avec »… *avoir soif, faim, de la fièvre…*

A Comment dire en portugais ?   **B Comprenez :**

1. *Nous avons soif.*
2. *Vous êtes en retard !*
3. *Ici, il fait froid !*

1. **Estão contentes ?**
2. **Estamos trabalhando.**
3. **Estão em Salvador ?**

SOLUTIONS

A 1 **Estamos com sede.**

2 **Estão atrasados !**

3 **Aqui, está frio.**

1. *Etes-vous contents ?*
2. *Nous sommes en train de travailler.*
3. *Vous êtes à Salvador ?*

ETATS	ABREVIATIONS	CAPITALES.
Région nord (**Região Norte**)		
Rondônia	RO	Porto Velho
Roraima	RR	Boa Vista
Acre	AC	Rio Branco
Amazonas	AM	Manaus
Pará	PA	Belém
Amapá	AP	Macapá
Tocantins	TO	Palmas
Région nord-est (**Região Nordeste**)		
Maranhão	MA	São Luís
Piauí	PI	Teresina
Ceará	CE	Fortaleza
Rio Grande do Norte	RN	Natal
Paraíba	PB	João Pessoa
Pernambuco	PB	Recife
Alagoas	AL	Maceió
Sergipe	CE	Aracaju
Bahia	BA	Salvador
Région centre ouest (**Região Centro-Oeste**)		
Mato Grosso	MT	Cuiabá
Mato Grosso do Sul	MS	Campo Gránde
Goiás	GO	Goiânia
Distrito Federal	DF	Brasília
Région sud-est (**Região Sudeste**)		
Minas Gerais	MG	Belo Horizonte
Espírito Santo	ES	Vitória
Rio de Janeiro	RJ	Rio de Janeiro
São Paulo	SP	São Paulo
Région sud (**Região Sul**)		
Paraná	PR	Curitiba
Santa Catarina	SC	Florianópolis
Rio Grande do Sul	RS	Porto Alegre

Est-ce que c'est
1 possible ?
2 vrai ?
3 loin ?
4 permis ?

Est-ce que
5 je peux téléphoner ?
6 vous acceptez cette carte de crédit ?

7 le service est inclus ?

8 nous pouvons entrer ?

Qu'est-ce
9 que ceci / cela ?

10 que vous voulez ?
11 que vous prenez ?
12 qu'il se passe ?
13 qu'on attend ?

■ **PRONONCIATION**

qu figuré [k], se prononce comme le k du français *kiwi* devant **e** et **i** : **querer** [kéreR] *vouloir, aimer,* **aquilou** [akilou] *cela.*

qu figuré [kou...] se prononce comme le français *cou* devant **a** et **o**: **quatro** [kouatrou] *quatre.*

qü figuré [kou...] se prononce également comme le français *cou* devant **e** et **i** : **freqüente** [frékouèntchi] *fréquent,* **tranqüilo** [trankouilou] *tranquille.*

18

É   [è]

1 possível ?   [possivè-ou]
2 verdade ?   [vèRdadji]
3 longe ?   [lonji]
4 permitido?   [pèRmitchidou]

5 posso telefonar ?   [póssou téléfonaR]
6 aceita este cartão   [asséïta èchti kaRtaon
   de crédito ?   dji krèdjitou]
7 o serviço está incluído ? [ou sèRvissou échta
                                              inklouidou]
8 podemos entrar ?   [podémous èntraR]

O que é   [ou ki è]

9 isto / isso / aquilo ?   [ichtou / issou / akilou]

O que é que   [ou ki è ki]

10 quer ?   [kèR]
11 toma ?   [toma]
12 está acontecendo ?   [échta akontéssèndou]
13 a gente está esperando ? [a jèntchi échta
                                              échpérandou]

■ **PRONONCIATION**

g figuré par [j] devant **e** et **i** se prononce comme le *j* du français
jeu : **longe** [**lon**ji] *loin*, **dirigindo** [diri**jin**dou] *conduisant*.
g figuré par [g] devant **a**, **o** et **u** se prononce comme le *g* du français de *gare* : **belga** [**bé**ouga]*belge*, **gordo** [**gó**Rdou] *gros*, **guloso**
[gou**ló**zou] *gourmand*.
gu devant **e** et **i** se prononce [gu] : **português** [póRtou**guéïs**]
portugais, **o guia** [ou **gui**ya] *le guide*.
gu devant **a** et **o** [gou...] **a língua** [a **lin**goua] *la langue*.
gü devant **e** et **i** [gou...] **agüentar** [agouèn**taR**] *supporter, endurer*.

19

■ *Est-ce que* n'est pas nécessairement traduit, l'intonation suffit :
É bonito ? *Est-ce que c'est beau ?*
Está aqui ? *Est-ce qu'il est ici ?*
• Pour exprimer l'hypothèse, on peut aussi utiliser le futur (voir A12) :
Será que é Marta ? *Est-ce que c'est Marta ? Serait-ce Marta ?*
Terá um banco no centro ? *Est-ce qu'il y aurait une banque dans le centre ?*

■ *O que é que,* qu'est-ce que, est la manière de dire la plus courante, en fait on pourrait simplement dire **o que ?**
O que é que quer ? / O que quer ? *Que veux-tu ?*

Rappel A3 : **estar** + participe présent = *être en train de* :
Está telefonando. *Il est en train de téléphoner.*

■ *A gente*, remplace dans la langue courante du Brésil *nous* ou *on*. Le verbe qui suit est conjugué à la 3e personne du singulier.
A gente tem dinheiro ? *On a de l'argent ?*
Será que a gente fica ? *Est-ce qu'on reste ?*

■ **Les démonstratifs** : ils sont au nombre de trois et varient selon si l'objet désigné est en possession de celui qui parle (je, proche), de celui à qui on parle (tu, plus éloigné), ou, de celui dont on parle (il, très éloigné). Ils correspondent à 3 adverbes de lieu .Ils varient en genre et en nombre en accord avec le nom désigné :
Este cartão, *cette carte* (que j'ai entre les mains)
Esse cartão, *cette carte* (que tu me montres)
Aquele cartão, *cette carte* (qu'une tierce personne possède)

Adverbe	masculin (pl)	féminin (pl)	neutre
aqui *ici*	**este** (s) *ce* (s)	**esta** (s) *cette* (ces)	**isto** *ceci*
aí *là*	**esse** (s) *ce* (s)	**essa** (s) *cette* (ces)	**isso** *cela*
ali *là bas*	**aquele** (s) *ce* (s)	**aquela** (s) *cette* (ces)	**aquilo** *cela*

➡ **ATTENTION** : **tomar**, *prendre*, est souvent employé dans le sens de *boire* : **O que está tomando?** *Qu'es-tu en train de boire ?*
Prender : *attacher, lier, emprisonner.*

A Comment dire en portugais ?
1. *C'est près d'ici ?*
2. *Qu'est-ce que cela ?*
3. *C'est très beau !*

B Comprendre :
1. **O que está comendo ?**
2. **A gente está atrasada ?**
3. **Será que é francês ?**

SOLUTIONS

A 1. **É perto daqui ?**
2. **O que é isso ?**
3. **É muito bonito !**

B 1. *Qu'es-tu en train de manger ?*
2. *Est-ce qu'on est en retard ?*
3. *Est-ce que tu es français ?*

DRAPEAU

• *Le drapeau brésilien* (**a bandeira brasileira**) (voir couverture) : **verde amarelo** (*vert jaune*) sont les couleurs qui symbolisent le pays.

Ce drapeau est officiel depuis 1889, année de *la Proclamation de la République* (**a Proclamação da República**)(15 novembre). Il remplace le drapeau impérial de 1822, année de *l'Indépendance* (**a Independência**) du pays.

Le fond est un rectangle vert qui rappelle les forêts, le losange jaune symbolise les ressources minières. Au centre la sphère *bleue* (**azul**) porte 27 *étoiles* (**estrelas**) (une pour chacun des 26 états et une pour le District Fédéral (à l'origine il n'en comportait que 21) organisées comme les constellations australes parmi lesquelles on peut reconnaître celle du *Scorpion* (**Escorpião**) et, surtout celle de *la Croix du Sud* (**O Cruzeiro do Sul**). En fait, le jour de la proclamation de la République celle-ci passait sur le méridien de **Rio de Janeiro**, alors capitale Le bandeau *blanc* (**branco**) qui cerne la sphère est l'équateur, la seule étoile qui est située au-dessus est celle du Pará. Dans le bandeau, la devise : **ordem e progresso** (*ordre et progrès*) largement inspirée du philosophe positiviste français Auguste Comte.

• Quelques *jours fériés* (**feriados**) :

21 avril (1792) **Tiradentes**, « *l'arracheur de dents* » surnom de José da Silva Xavier chef de l'**Inconfidência Mineira**, première révolte contre la couronne portugaise, est exécuté.

7 septembre (1822) **Indépendance** : **Dom Pedro** pousse le fameux **Grito de Ipiranga** (*cri d'Iparanga*) : « **Eu fico** », *je reste*.

15 novembre (1889) Proclamation de la République.

J'ai

      1 de l'argent / de la monnaie
      2 une carte de crédit
      3 deux valises
      4 cinq enfants

Je n'ai pas

      5 de plan de la ville
      6 de billet d'avion

As-tu

      7 le temps ?
      8 des amis ?

Il y a

      9 une banque au coin de la rue

      10 un problème
      11 un distributeur automatique (d'argent)

Il n'y a pas
      12 de place dans l'autobus

Y a-t'il
      13 du poisson ?

■ **PRONONCIATION**

lh figuré [ly] se prononce approximativement comme *li* dans le
français *palier* : **filho** [**fil**you], *fils, enfant*.
x présente plusieurs prononciations. La plus courante, quand il
est placé entre deux voyelles est : [ch]comme dans le français
chat : **caixa** [**kaï**cha] *caisse*, **peixe** [**péï**chi] *poisson*.

Tenho [tènyou]
    1 dinheiro / troco [djinyéïrou / trokou]
    2 um cartão de crédito [oum kaRtaon dji krèdjitou]
    3 duas malas [douas malas]
    4 cinco filhos [sinkou filyous]

Não tenho [naon tènyou]
    5 mapa da cidade [mapa da sidadji]
    6 passagem de avião [passajèm dji aviaon]

Tem [tèm]
    7 tempo ? [tèmpou]
    8 amigos? [amigous]

Tem / há [tèm / a]
    9 um banco na esquina [oum bankou na
                                 échkina
    10 um problema [oum probléma]
    11 um caixa automático [um kaïcha a-outomatikou]

Não tem [naon tèm]
    12 vaga no ônibus [vaga nou onibous]

Tem / Há [tèm / a]
    13 peixe ? [péïchi]

▪ L'ACCENT ECRIT

ê [é] comme dans le français *été* : **três** [**tréïs**] *trois*, **francês**
[fran**séïs**] *français*.
é [è] comme dans le français *quai* : **perto** [**pèR**tou] *près*,
crédito [**krè**djitou] *crédit*.

i et **u** ne reçoivent que des accents aigus : **magnífico** [mag-**nifi**-
kou] *magnifique*, **o túnel** [ou **tou**nè-ou] *le tunnel*.

23

TER

(eu)	**tenho**	[tènyou]	*j'ai*
(você, o sr, a sra)	**tem**	[tèm]	*tu as, vous avez*
(ele, ela)	**tem**	[tèm]	*il, elle a*
(nós)	**temos**	[témous]	*nous avons*
(vocês, os sres, as sras)	**têm**	[tèm]	*vous avez*
(eles, elas)	**têm**	[tèm]	*ils, elles ont*

– Il existe deux verbes *avoir* : **ter** qui indique une possession
Tenho um carro. *J'ai une voiture.*
et **haver** que l'on rencontre surtout à la 3ème personne, **há**,
pour traduire *il y a*.
Cependant, au Brésil cet emploi tend à disparaître au profit de **ter**.
Tem um banco aqui./ **Há um banco aqui**. *Il y a une banque ici.*

– **Ter que** + infinitif, exprime l'obligation : *je dois, il faut que*.
Tenho que comprar um mapa. *Je dois acheter un plan/une carte.*
O senhor tem que visitar o Corcovado. *Vous devez visiter le Corcovado.*

• Les articles indéfinis :
um, *un*. **uma**, *une*. (leur pluriel **uns** et **umas** ont un emploi un peu différent de notre *des*, ils signifient plutôt *quelques*).

Uma mala. *Une valise*
Attention : masculin/féminin :
um mapa *une carte/ un plan* ; **um problema** *un problème*.

• L' article partitif (*du, de la, des, de*) n'est pas exprimé en portugais : **Tenho dinheiro**. *J'ai de l'argent.*
Tem troco ? *Avez-vous de la monnaie ?*
Temos tempo. *Nous avons du temps.*

• La contraction de la préposition **de** et de l'article défini **a** (voir A2) = **da** :
Na esquina da rua.   *Au coin de la rue.*
de+o=do   **de+os=dos**
de+a=da   **de+as=das**

➡ **RAPPEL** : la construction de **na** est expliquée en A3.

A Comment dire en portugais :
1. *Y a-t'il une banque dans la ville ?*
2. *Avez-vous de la monnaie ?*
3. *Avez-vous un plan de la ville ?*
4. *Tu as un problème ?*

B Comprenez :
1. **A senhora não tem troco ?**
2. **Tem cartão de crédito ?**
3. **Há um caixa automático na esquina.**

SOLUTIONS

A 1. **Tem / há um banco na cidade?**
2. **(o sr, a sra) tem / (vocês, os sres, as sras) têm troco ?**
3. **(o sr, a sra) tem / (vocês os sres, as sras) têm um mapa da cidade ?**
4. **Tem um problema ?**

B 1. *Vous n'avez pas de monnaie ?*
2. *As-tu / a t'il / avez-vous une carte de crédit ?*
3. *Il y a un distributeur automatique au coin (de la rue).*

➡ **RETENEZ AUSSI**

1 **um** [**oum**]	6 **seis** [**sëïs**]
2 **dois**[**dóïs**]masc.	7 **sete** [**sètchi**]
duas [**dou**as]fém.	
3 **três** [**tréïs**]	8 **oito** [**óïtou**]
4 **quatro**[**koua**trou]	9 **nove** [**nó**vi]
5 **cinco** [**sin**kou]	10 **dez** [**déïs**]

Exemples : **Há dois bancos na cidade**. *Il y a deux banques dans la ville.*
Tenho duas malas. *J'ai deux valises.*

➡ **ATTENTION** : dans une énumération de chiffres, *6*, **seis**, est le plus souvent remplacé par **meia**, *demi* [**mèya**] qui vient de **meia dúzia**, *demi douzaine*.
ex : *2, 4, 6, 7* : **dois**, **quatro**, **meia**, **sete**.
Généralement les chiffres d'un n° de téléphone sont énoncés un par un :
431 56 78 : **quatro**, **três**, **um**, **cinco**, **meia**, **sete**, **oito**.

25

A6 Où est ? / où sont ?

Où est ?
>   1 la gare routière
>   2 le centre ville
>   3 le centre commercial
>   4 la poste
>   5 la sortie / l'entrée
>   6 l'arrêt d'autobus
>
>   7 ta clef de voiture
>   8 notre sac à dos

Où sont ?
>   9 les boutiques
>   10 les restaurants
>
>   11 les taxis
>   12 tes sacs

■ ORTHOGRAPHE

On ne trouve pas de consonnes doubles à part **s** et **r** (et **c** pour la norme portugaise) :
O carro [ou **ka**Rou] *la voiture*, a **passagem** [a pa**ss**ajèm] *le billet* (de transport).

■ PRONONCIATION

ch [ch] se prononce exactement comme le *ch* du français *chat* : **a chave** [a **ch**avi] *la clef.*
r est grasseyé (voir A1 et A3) quand il est double : **o carro** [ou **ka**Rou] *la voiture.*
x a plusieurs prononciations possibles, ici, [ks] : **táxis** [**ta**ksis].

■ VOCABULAIRE

* **O ponto de ônibus** *l'arrêt d'autobus* se dit en portugais du Portugal : **A paragem de autocarro**.
* **O shopping**, *le centre commercial*, mot et mœurs d'origine anglo-saxonne. **O shopping** fait vraiment partie de la vie des brésiliens.
* **A butique** mot et mœurs d'origine française ce mot désigne un magasin de luxe surtout concernant l'habillement.
  A loja désigne des commerces plus modestes.

Onde é ? / Onde fica ?   [**on**dji **è** / **on**dji **fi**ka]
1 a (estação) rodoviária   [(a échta**ssaon**) Rodo**vya**rya]
2 o centro (da cidade)   [ou **sèn**trou (da si**da**dji)]
3 o shopping   [ou **chó**ping]
4 o correio   [ou ko**Rè**you]
5 a saída / a entrada   [a sa**í**da / a **èn**tra**da**]
6 o ponto de ônibus   [ou **pon**tou dji **ô**nibous]

Onde está ? / cadê ?   [**on**dji **é**chta / ka**dé**]
7 sua chave de carro   [**sou**a **cha**vi dji **ka**Rou]
8 nossa mochila   [**no**ssa mo**chi**la]

Onde são ? / Onde ficam ?   [**on**dji **saon** / **on**dji **fi**caon]
9 as lojas / as butiques   [as **lo**jas / as bout**chi**kis]
10 os restaurantes   [ous Rèchta-ou**ran**tchis]

Onde está ? / cadê ?   [**on**dji **é**chta / ka**dé**]
11 os táxis   [ous **tak**sis]
12 tuas bolsas   [**tou**as **bo-ou**sas]

LES DIPHTONGUES (OS DITONGOS)

Les diphtongues sont des combinaisons de *voyelles* (**vogais**) qui se prononcent en même temps en glissant l'une sur l'autre ; ces diphtongues sont divisées en deux groupes selon leur mode d'articulation : *orales* (**orais**) quand l'air passe par la bouche, *nasales* (**nasais**) lorsque l'air passe par le nez.

Les diphtongues orales se terminent soit par **i** : **-ai** (**o pai** [ou **paï**] *le père*), **-ei** (**comprei** [kom**préï**] *j'ai acheté*), **-oi** (**o boi** [ou **boï**] *le bœuf*), **ui** (**fui** [**fouï**] *j'ai été*), soit par **u** (**-au** [**maou**] *méchant*), **-eu** (**meu** [**mèou**] *mon*), **-iu** (**dirigiu** [diri**jiou**] *il a conduit*), **ou** (**estou** [échto-**ou**] *je suis*). La première voyelle s'entend toujours plus que la seconde qui sert d'écho, comme en français *aï !*

Les diphtongues nasales : **-ão** (**o irmão** [ou iR**maon**] *le frère*), **-ãe** (**a mãe** [a **mäï** (**o pai** [ou **paï**] *la mère*), **-ões** (**corações** [koras-**son-is**] *cœurs*).

Attention : **-ã** est la seule voyelle nasale : **a irmã** [a **iR**min] *la sœur*.

■ **Ser** (A1, A3) est utilisé pour localiser quelque chose de fixe. Les brésiliens le remplacent souvent par **ficar** [fikar] : *rester, se trouver*.
Onde é sua casa / onde fica sua casa ? *Où est votre (ta) maison ?*

■ **Estar** (A3) indique une localisation passagère.
Onde está sua bagagem ? *Où est votre (ton) bagage ?*
– Pour interroger sur la provenance : **de onde ?** [dij ondji] *d'où ?*
De onde vem ? *d'où vient-il ?* **De onde é ?** *D'où êtes-vous ?*
– Pour interroger sur la destination : **aonde ?** [aondji] *où, vers où, pour où ?* **Aonde vamos ?** *Où allons-nous ?* **Aonde vão ?** *Où allez-vous ?*

■ Dans la langue de tous les jours **onde está** est remplacé par **cadê** :
Cadê ele ? *Où est-il ?* **Cadê a mochila ?** *Où est le sac à dos ?*

■ Le pluriel des substantifs et des adjectifs
– aux mots terminés par une voyelle on ajoute un **-s**.
Os táxis, *les taxis.* **Os restaurantes**, *les restaurants.*
– aux mots terminés par une consonne sauf **-l** et **-m** on ajoute **-es**.
Os franceses, *les français.* **Os professores**, *les professeurs.*
– Les mots terminés par **-m** voient ce **m** se transformer en **-ns**.
O homem, *l'homme.* **Os homens**, *les hommes.*

• Les possessifs

Masculin				Féminin			
singulier		pluriel		singulier		pluriel	
meu	*mon*	**meus**	*mes*	**minha**	*ma*	**minhas**	*mes*
seu	*ton*	**seus**	*tes*	**sua**	*ta*	**suas**	*tes*
dele	*son*	**deles**	*leur(s)*	**dela**	*sa*	**deles**	*leur(s)*
nosso	*notre*	**nossos**	*nos*	**nossa**	*notre*	**nossas**	*nos*
seu	*votre*	**seus**	*vos*	**sua**	*votre*	**suas**	*vos*

On voit que, comme *tu*, **você** et *vous*, **o senhor**... se conjuguent avec la même personne *ton* et *votre* on la même forme : **seu**.
seu irmão *ton frère, votre frère.*
Par contre, pour éviter des confusions, quand on parle d'une tierce personne on utilise *dele*... qui se place après le possesseur :
O irmão dele. *Son frère* (à lui). **Os pais dela.** *Ses parents* (à elle).

A Mettre au pluriel :
  1. **O banco**   2. **A passagem**   3. **O diretor**
B Complétez :
  1. **O coreio** ....**longe.**
  2. **Seu taxi** ....**aqui.**
  3. **Seus amigos**.................**no restaurante.**
  4. **O banco** ....**à esquerda.**

SOLUTIONS

A 1. **Os bancos** 2. **As passagens** 3. **Os directores**
B 1. **é / fica** 2. **está** 3. **estão** 4. **fica / é**

POUR COMPRENDRE LES RÉPONSES :

A droite : **à direita** [a djiréïta]   *à gauche* : **à esquerda** [a échkèRda]
en face : **em frente** [em frèntchi]   *derrière* : **atrás** [atraïs]
près de : **perto de** [pèRtou dji]   *loin de* : **longe de** [lonji dji]
la ville : **a cidade** [a sidadji]   *le quartier* : **o bairro** [ou baïRou]
le pâté de maison : **a quadra** [a kouadra]
la rue : **a rua** [Roua]   *l'avenue* : **a avenida** [avénida]
la place : **a praça** [prassa]
a ladeira [a ladéïra] désigne une ruelle en pente
o largo [ou la Rgou] est une place souvent rectangulaire devant une église
a sé [a sè] est l'église principale d'une ville
l'église : **a igreja** [a igrèja]   *la mairie* : **a prefeitura** [a préféïtoura]
tourner : **virar** [viraR]
marcher : **caminhar, andar** [kaminyaR, andaR]
prendre le bus, le métro, le tram… : **pegar o ônibus, o metrô, o bonde**
[pégaR ou ônibous, ou métrô, ou bondji]
aller à pied : **andar / ir a pé** [andaR / iR a pè]
aller en voiture, en avion, en autocar, en bateau… : **ir de carro, de avião,**
de ônibus, de barco… [iR dji kaRou, dji avyaon, dji ônibous, de
baRkou]

29

J'aime / J'aimerais

J'aime

       1 le Brésil
       2 la cuisine baianaise
       3 les voyages en autocar
       4 me promener
       5 chanter
       6 danser la samba

Je n'aime pas

       7 le café au lait
       8 les gâteaux très sucrés
       9 la chaleur / le froid
      10 écouter de la musique

Aimez-vous

      11 faire des achats ?
      12 le cinéma ?

J'aimerais

      13 beaucoup parler portugais
      14 savoir dessiner
      15 prendre une douche

      16 regarder la télévision

➡ **L'ACCENTUATION ORALE** : (voir A1)
Quand un mot est terminé par **–a**, **-e** ou **–o** suivis ou non de **–m** ou **–s** l'accent oral est porté sur l'avant-dernière syllabe sans que celle-ci porte d'accent écrit :
ci /<u>ne</u> /ma, **fri /o**, **<u>com</u> /pras**, **vi / <u>a</u>/ gem**, **<u>jo</u> /vem**.
Les mots qui font exception à cette règle portent un accent écrit qui indique où est placé l'accent oral :
ca /<u>fé</u>, **<u>mé</u> /di /co**, **fran /<u>cês</u>**, **es /<u>tá</u>**.
Quand un mot est terminé par **–i** ou **–u**, suivis ou non de **–m** ou **-s** l'accent oral est porté sur la dernière syllabe :
a/<u>qui</u>, **a/<u>li</u>**, **o jar/<u>dim</u>**, *le jardin*, **o ta/<u>tu</u>**, *le tatou*
Les mots qui font exception à cette règle portent un accent écrit :
o <u>tá</u>/xi

Gosto [**góch**tou]
1 do Brasil [dou bra**ziou**]
2 da cozinha baiana [da ko**zi**nya ba**ya**na]
3 das viagens de ônibus [das vy**a**jèns dji **ô**nibous]
4 de passear [de passé**aR**]
5 de cantar [kan**taR**]
6 de dançar o samba [dji dan**saR** ou **sam**ba]

Não gosto [**naon goch**tou]
7 de café com leite [dji kafè con **léï**tchi]
8 dos bolos muito doces [dous **bo**lous **moui**tou **dó**ssis]
9 do calor / do frio [dou ka**loR** / dou **fri**ou]
10 de escutar / de ouvir música [dji échkou**taR** / dji o-ou**viR**
                                 mouzika]

Gosta [**goch**ta]
11 de fazer compras ? [dji fa**zèR kom**pras]
12 de cinema ? [dji si**né**ma]

Gostaria
13 muito de falar português [**moui**to dji fa**laR** po**R**tou**guéïs**]
14 de saber desenhar [dji sa**bèR** dézé**nyaR**]
15 de tomar um banho [dji to**maR** oum **ba**nyou
   (de chuveiro)   (dji chou**véï**rou)]
16 de assistir televisão [assich**tchiR** télévi**zaon**]

➡ L'ACCENTUATION ORALE :
Quand un mot est terminé par *une consonne* (**uma consoante**)
sauf –**m** ou –**s** son accent non écrit est porté sur la dernière syllabe :
ca /**lor**, pa /sse /**ar**, a /ssis /**tir**, sa /**ber**, Bra /**sil**, di /re /**tor**.

ATTENTION : *le tilde* : (o **til**), signe graphique, n'est par un
accent, c'est une marque de nasalité. En fait, il était placé à la
place d'un « n » latin par les copistes (-n, que l'on retrouve parfois encore en français ou en espagnol) : **a lã**, *la laine*, la lana ; **o
pão**, le *pain*, el pán.

31

■ **Gostar**, *aimer*, est toujours suivi de **de** :
Gosto de viajar. *J'aime voyager.*
Gostamos do calor. *Nous aimons la chaleur.*

■ La langue portugaise possède des verbes irréguliers (**ser**, **estar** *être*, **ter** *avoir*...) et des verbes réguliers. Ils sont divisés en trois groupes déterminés par leur terminaison à l'infinitif (A3).

Présent de l'indicatif des verbes réguliers terminés en **–AR**

(eu)	gost-o	[**góch**tou]	*j'aime*
(você, o sr, a sra)	gost-a	[**góch**ta]	*tu aimes, vous aimez*
(ele, ela)	gost-a	[**góch**ta]	*il, elle aime*
(nós)	gost-amos	[gochtamous]	*nous aimons*
(vocês, os sres, as sras)	gost -am	[**góch**taon]	*vous aimez*
eles, elas	gost -am	[**góch**taon]	*ils, elles aiment*

■ Comme en français la courtoisie est exprimée par un conditionnel :

(eu)	gostar-ia	[**góch**taria]	*j'aimerais*
(você, o sr, a sra)	gostar-ia	[**góch**taria]	*tu aimerais, vous aimeriez*
(ele, ela)	gostar-ia	[**góch**taria]	*il, elle aimerait*
(nós)	gostar-íamos	[**góch**tariamous]	*nous aimerions*
(vocês, os sres, as sras)	gostar-iam	[**góch**tarian]	*vous aimeriez*
(eles, elas)	gostar-iam	[**góch**tarian]	*ils, elles aimeraient*

■ **Do Brasil** (**de+o** A5) : le nom de tous les pays est, comme en français, précédé d'un article : **a França**, *la France* ; **o Brasil**, *le Brésil*....Sauf tous les autres pays lusophones (qui parlent le portugais) : Angola, Mozambique, Portugal, on dit ainsi :
Gosto de Portugal, *j'aime le Portugal.*
Sou de Angola, *je suis d'Angola.*

■ **escutar**, *écouter* est souvent remplacé par **ouvir**, *entendre.*:
Gosto de ouvir música, *j'aime écouter de la musique.*

➡ **RETENEZ**: en portugais
la samba est masculin : **o samba**
la chaleur est masculin : **o calor**
le voyage est féminin comme tous les noms terminés en **–gem**:
a viagem , **a bagagem** (pl. **viagens** V. A6).

A comment dire en portugais ?
1. *J'aimerais me promener.*
2. *J'aime beaucoup le Brésil.*
3. *Nous aimons voyager.*

B Compendre :
1. **Gosta de música ?**
2. **Gostam de dançar ?**
3. **Gosta de assistir televisão ?**

SOLUTIONS

A 1. **Gostaria de passear.**
2. **Gosto muito do Brasil**.
3. **Gostamos de viajar.**

B 1. *Tu aimes la musique ?*
2. *Vous aimez danser ?*
3. *Tu aimes regarder la TV ?*

LA GASTRONOMIE. **A gastronomia**. (B4)

• *La cuisine* (**a cozinha / a culinária**) brésilienne est le fruit :
- des dimensions colossales du pays donc, des productions très variées ;
- de l'histoire des différentes régions ;
- de leur peuplement, donc, des métissages.

• Dans le **sertão** (zone semi-aride du **Nordeste**) on apprécie la **carne de sol** (« *viande de soleil* ») salée et séchée au soleil. Elle est consommée *grillée* (**grelhada**), *frite* (**frita**), *au grill* (**na chapa**) et entre dans la composition de nombreux plats.

• La cuisine du Sud varie selon les communautés, viandes fumées, charcuteries, goulaschs et même choucroute pour les allemands ; pâtes, antipasti…chez les italiens. Sur le littoral il existe une grande variété de fruits de mer et, des restaurants proposent des **seqüências de camarões**, c'est en fait un menu où sont servies successivement diverses préparations de *crabe* (**siri**), *moules* (**mariscos**), et crevettes : **ao bafo** (*cuite à l'eau*), **fritas** (*frites*), à **milaneza**, a **alho-óleo** (*ail-huile*). Pour clore ce festin on sert un *filet de poisson* (**filé de peixe**) panné accompagné d'une *sauce crevette* (**molho de camarão**), de **pirão** (B4) à base de bouillon de poisson et crevettes, de riz et de frites. Pour ceux qui n'ont pas cet appétit on peut, sans complexe, demander d'emballer, *pour emporter* (**para levar**) ce qui n'a pas été consommé sur place.
(suite en B4).

Je veux

1 réserver une chambre
2 trois billets pour Belém
3 partir demain
4 louer une voiture
5 aller à Belo Horizonte

Je voudrais

6 changer de l'argent
7 visiter le Musée des Oratoires
8 trouver un hôtel bon marché
9 parler avec le directeur
10 manger des crevettes
11 de la viande

Je ne veux pas

12 partir tôt le matin
13 un hôtel cher
14 boire du vin rouge / blanc

Voulez-vous

15 voyager de nuit ?
16 votre viande bien cuite / bleue ?

Voudriez-vous ?

17 une chambre avec vue sur la mer ?
18 une feijoada ?

■ **PRONONCIATION**

La plupart du temps, la lettre **h** n'est pas prononcée : **hotel**
[otèou].

➡ **RAPPEL :**

r est légèrement roulé [r]entre deux voyelles, et dans certains
groupes tels que **–tr-** : **caro** [**ka**rou] *cher*, **encontrar** [ènkon**traR**]
trouver ;
est grasseyé [R] dans les autres situations : **reservar** [Ré**zèR**va**R**]
réserver, **o carro** [ou ka**R**ou] *la voiture* ;
u est toujours prononcé [ou] : **sua** [**sou**a], **quarto** [**kouaR**tou].

Quero [**ké**rou]
1 reservar um quarto [RésèRvaR oum **koua**Rtou]
2 três passagens para Belém [**tré**ïs pa**ssa**jèns **p**ara bé**lèm**]
3 ir embora amanhã [**iR** èm**bo**ra ama**nyin**]
4 alugar um carro [alou**ga**R oum **ka**Rou]
5 ir a Belo Horizonte [**iR** a **bè**lou ori**zon**tchi]

Queria [**ké**ria]
6 cambiar / trocar dinheiro [kam**bya**R / tro**ka**R dji**nyéï**rou]
7 visitar o Muséu dos Oratórios [vizi**ta**R ou mou**zè**ou dous ora**tó**ryous]
8 encontrar um hotel barato [ènkon**tra**R oum o**tè**ou ba**ra**tou]
9 falar com o director [fa**la**R con ou dji**ré**t**ô**R]
10 comer camarões [ko**mè**R kama**ron-is**]
11 carne [**ka**R**ni**]

Não quero [**naon kè**rou]
12 sair cedo de manhã [sai**R sè**dou dji ma**nyin**]
13 um hotel caro [oum o**tè**ou **ka**rou]
14 beber vinho tinto / branco [bébè**R vi**nyou **tchin**tou / **bran**kou]

Quer [**kè**R]
15 viajar de noite ? [via**ja**R dji **noït**chi]
16 sua carne bem passada / [**bèm** pa**ssa**da /
    mal passada ?   **ma**ou pa**ssa**da]
17 um quarto com vista [oum **koua**Rrou con **vi**chta
    para o mar ?   **pa**ra ou **ma**R]
18 uma feijoada ? [**ou**ma féï**joa**da]

UN PEU DE TOURISME

• **Belém** est *la capital* (**a capital**) de l'Etat du **Pará** et est située à l'embouchure du *fleuve Amazone* (**o rio Amazonas**).
Belo Horizonte est la capitale de l'Etat du **Minas Gerais**. C'est là que furent découvertes, au XVIIIᵉ siècle des mines d'or.
• Toutes les villes de cette région offrent des chefs-d'œuvres de l'art *baroque* (**a barroco**) : architecture civile ou religieuse, sculptures, peintures… C'est dans l'une de ces villes, à **Ouro Preto** que l'on ne peut pas manquer de visiter le très intéressant **Muséu dos Oratórios**, *Musée des Oratoires*.

■ Le présent de l'indicatif des verbes terminés par **-er** :

(eu)	com-o	[**ko**mou]	*je mange*
(você, o sr, a sra)	com-e	[**ko**mi]	*tu manges, vous mangez*
(ele, ela)	com-e	[**ko**mi]	*il, elle mange*
(nós)	com-emos	[ko**mé**mous]	*nous mangeons*
(vocês, os ses, as sras)	com-em	[**ko**mèm]	*vous mangez*
(eles, elas)	com-em	[**ko**mèm]	*ils, elles mangent*

– **Querer** se conjugue de la même manière mis à part la 3e personne du singulier qui est **quer** (sans **e** final).

■ **Queria**, plus courtois, est l'imparfait du verbe **querer**, *vouloir*, qui remplace le conditionnel courtois (voir A7).
– L'imparfait des verbes des 2e et 3e groupes :

(eu)	quer-ia	[**ké**ria]	*je voulais*
(você, o sr, a sra)	que-ria	[**ké**ria]	*tu voulais, vous vouliez*
(ele, ela)	que-ria	[**ké**ria]	*il, elle voulait*
(nós)	quer-íamos	[**ké**riamous]	*nous voulions*
(vocês, os sres, as sras)	quer-iam	[**ké**ri-an]	vous vouliez
(eles, elas)	quer-iam	[**ké**ri-an]	*ils, elles voulaient*

➡ RAPPEL : (voir A5) l'article partitif n'est pas exprimé en portugais :
Quero vinho. *Je veux du vin.*
Não quero camarões. *Je ne veux pas de crevettes.*

■ Le pluriel des substantifs et des adjectifs (suite de A6) :
– Les mots terminés par **-ão** ont trois pluriels possibles :
-ãos. o irmão, *le frère*, **os irmãos**, *les frères*
-ães. o pão, *le pain*, **os pães**, *les pains*
-ões. o camarão, *la crevette*, **os camarões**, *les crevettes.*

➡ RAPPEL : les mots terminés par **-m** : le **-m** devient **-ns**
a passagem, *le ticket*, as passagens, *les tickets.*

➡ REMARQUEZ : *partir* se dit : **ir embora**, *s'en aller* ou **sair** *sortir, partir* et aussi **partir**.

A Complétez :
1. Eu quer ....pão.
2. Ele beb ....vinho.
3. Nós quería......sair.
4. Eles quer.........carne.

SOLUTIONS

A 1. **-o** 2. **-e** 3. **-mos** 4. **-em**

RECETTE (RECEITA)

Feijoada à carioca
1 kg de *haricots noirs* (**feijão preto**)
1 kg de *porc* (**porco**) : *pied* (**pé**), *oreille* (**orelha**), *langue* (**língua**),
queue (**rabo**), *lard salé* (**toucinho salgado**), *travers* (**costelinhas**)…
250 *grammes* (**gramas**) de *viande séchée* (**carne seca** / **charque**)
250 gr de *saucissons à cuire* (**paio**)
250 gr de *saucisses* (**lingüiças**)
250 gr de *lard fumé* (**toucinho defumado** / **bacon**)
1 *pincée* de *poivre* (**pitada de pimenta-do-reino**)
2 *feuilles* de *laurier* (**folhas de louro**)
3 *cuillérées à soupe d'huile* (**colheres de sopa de óleo**)
1 *oignon* (**cebola**), 2 *gousses d'ail* (**dentes de alho**)
Lavez les haricots et laissez-les tremper 24 heures ; lavez les viandes
salées et fumées et laissez-les tremper. Faites *bouillir* (**ferver**) les haricots dans leur eau de trempage. Faites bouillir viandes à part dans une
nouvelle eau puis égouttez-les avant de les mettre avec les haricots, les
autres viandes et le laurier. Un peu avant la fin de la cuisson, ajoutez
l'oignon et l'ail préalablement hachés et dorés à l'huile, salez et
poivrez.
Servez, dans des plats séparés, la viande, les haricots, *du riz* (**arroz**),
de la *farine de manioc* (**farinha de mandioca**), une *sauce pimentée*
(**molho de pimenta**), des rondelles d'*orange* (**laranja**) et du *choux*
(**couve**).
La **feijoada** est un plat qui se consomme principalement *le samedi*
(**aos sábados**) *au déjeuner* (**no almoço**). Cette **feijoada** à la mode de
Rio est différente de celle de **Salvador** pour laquelle on utilise des
haricots bruns (**mulatinhos**) et avec laquelle on ne sert ni choux, ni
orange.
Bom apetite !

Pouvez-vous ? / Savez-vous ? / Il faut.

Pouvez-vous

1 m'aider, s'il vous plait ?
2 m'indiquer le prix du tee-shirt bleu ?

3 me dire où se trouve le Maracanã ?

4 parler plus lentement ?

Savez-vous

5 parler français ?
6 où est le musée d'art sacré ?

7 d'où part le tramway pour Santa Teresa ?

Je ne peux pas

8 rester plus longtemps
9 aller à Fortaleza

Je ne sais pas

10 bien parler portugais
11 comment aller au Pelourinho

Il faut

12 me réveiller très tôt
13 prendre le vol de 9 heures

Prononciation :

• En fin de mot, une voyelle accentuée suivie de **-s** , est prononcée comme si elle était suivie d'un **i,** comme une diphtongue (voir A6): **português** [poRtou**guéïs**] ainsi : **mas,** *mais,* se prononce comme **mais,** *plus* : [**maïs**].

• **nh** se prononce [ny] un peu comme dans le français *agneau,* **bondinho** [bon**dji**nyou].

Pode   [**pó**dji]
  1 me ajudar, por favor ?   [mi ajou**daR** pouR fa**vôR**]
  2 me indicar o preço da camiseta   [mi indji**kaR** ou **pré**ssou da
    azul ?   kami**zè**ta a**zou**-ou]
  3 me dizer onde fica o Maracanã ?   [mi dji**zèR on**dji **fi**ka ou
                                               maraka**nin**]
  4 falar mais devagar ?   [fa**laR** maïs djiva**gaR**]

Sabe   [**sa**bi]
  5 falar francês ?   [fa**laR** fran**séïs**]
  6 onde é o muséu de arte sacra ?   [**on**dji **è** ou mou**zè**ou dji **aR**tchi
                                               sakra]
  7 de onde sai o bondinho   [dji **on**dji **saï** ou bon**djin**you
    de Santa Teresa ?   dji **san**ta té**ré**za]

Não posso   [naon **pó**ssou]
  8 ficar mais tempo   [fi**kaR** **maïs tèm**pou]
  9 ir a Fortaleza   [**iR** a foRta**lè**za]

Não sei   [naon **séï**]
  10 falar bem português   [fa**laR** **bèm** poRtou**guéïs**]
  11 como ir ao Pelourinho   [**iR** aou pélo-ou**ri**nhou]

É preciso / É necessário   [è pré**ssi**zou / è néss**éss**aryou]
  12 me acordar muito cedo   [mi a**kóR**daR **moui**tou **sè**dou]
  13 pegar o vôo das nove (horas)   [pé**gaR** o **vo**-ou das **nó**vi]

L'accent tonique :
Les mots qui ne respectent pas les règles énoncées en A6 portent
un accent écrit : ^ pour les voyelles dites fermées : **ê** [é]comme
dans le français *été*, **ô** [ô] comme en français *pauvre* ; pour les
voyelles dites ouvertes : **é** [è] comme dans le français *même*, **ó** [ó],
comme dans le français *pomme*.

■ Le présent de l'indicatif de **poder** (*pouvoir*) :

(eu)	poss-o	[**pó**ssou]	*je peux*
(você, o sr, a sra)	pod-e	[**pó**dji]	*tu peux, vous pouvez*
(ele, ela)	pod-e	[**pó**dji]	*il, elle peut*
(nós)	pod-emos	[po**dé**mous]	*nous pouvons*
(vocês, os sres, as sras)	pod-em	[**pó**dèm]	*vous pouvez*
(eles, elas)	pod-em	[**pó**dèm]	*ils, elles peuvent*

■ Le présent de l'indicatif de **saber** (*savoir*) :

(eu)	sei	[**séï**]	*je sais*
(você, o sr, a sra)	sab-e	[**sa**bi]	*tu sais, vous savez*
(ele, ela)	sab-e	[**sa**bi]	*il, elle sait*
(nós)	sab-emos	[sa**bé**mous]	*nous savons*
(vocês, os srs, as sras)	sab-em	[**sa**bèm]	*vous savez*
(eles, elas)	sab-em	[**sa**bèm]	*ils, elles savent*

- Ces deux verbes du 2e groupe, sont irréguliers mais seulement à la 1re personne du singulier. (V. conj. reg. A8)

■ L'obligation s'exprime avec **é necessário + infinitif**, **é preciso + infinitif**, *il faut*. Voir aussi A5 : **ter que**, *devoir*.

- **ir a** : le verbe *aller*, **ir** est construit avec la préposition **a** qui indique un mouvement, **ir a Fotaleza**, *aller à Fortaleza*.
  Ir ao Pelourinho, *aller au Pelourinho*.
  - Cette préposition, comme **em** (A3) et **de** (A5) se contracte avec les articles définis (A2) :
  a + o = ao   a + os = aos   a + a = à   a + as = às
  - Pour indiquer le mouvement on peut aussi employer **para** qui indique une durée plus longue du temps de séjour :
  Ir ao Brasil, *aller au Brésil* (faire un petit voyage).
  Ir para o Brasil, *aller au Brésil* (pour y séjourner, y vivre).

■ Le **Maracanã** inauguré en 1950 à **Rio de Janeiro** est le plus grand stade du monde, il a reçu pour *la coupe du monde* (**a copa do mundo**) de 1970, plus de 200 000 *supporters* (**torcedores**).

- Le **bondinho** de **Santa Teresa**, *le « petit » tramway* de la colline de **Santa Teresa** installé à la fin du XIXᵉ, très typique, il est devenu une curiosité touristique de **Rio de Janeiro**.

A Comment dire en portugais ?
1. *Puis-je rester ?*
2. *Je ne sais pas où il est.*
3. *S'il vous plaît..*

B Comprendre :
1. **É preciso sair cedo.**
2. **Sabe como ir à praia ?**
3. **Sabem dansar samba ?**

SOLUTIONS

A 1. **Posso ficar ?**
2. **Não sei onde está.**
3. **Por favor.**

B 1. *Il faut partir tôt.*
2. *Sais-tu comment aller à la plage ?*
3. *Vous savez danser la samba ?*

Les couleurs. **As cores.**

blanc **branco** [**bran**kou]	*noir* **preto** [**prè**tou]
rouge **vermelho** [vèR**mè**lyou]	*jaune* **amarelo** [ama**rè**lou]
bleu **azul** [a**zou**]	*vert* **verde** [**vèR**dji]
marron **marrom / castanho**	[ma**Ron** / kach**ta**nyou]
orange **cor-de-laranja**	[**kôR** dji la**ran**ja]
rose **cor-de-rosa**	[**kôR** dji **Ró**za]
gris **cinzento**	[sin**zèn**tou]
clair **claro**	[**kla**rou]
foncé **escuro**	[èch**kou**rou]

LES MUSÉES D'ART SACRÉ, **os muséus de arte sacra.**

Le Brésil, très *catholique* (**católico**) depuis sa *découverte* (**descobrimento**) en 1500 est un pays très riche en bois et en minerais. *L'Église* (**a Igreja**) a très largement exploité ces ressources et l'art sacré a été le seul à avoir droit de cité. Les artistes, très souvent **caboclos** (*métis indien-européen*), **mulatos** (*mulâtres*) ont enrichi les modèles européens avec des motifs de leur imaginaire, de leur environnement. Toutes les villes brésiliennes ont un musée d'art sacré mais s'il y en a un qu'il ne faut pas manquer de visiter c'est celui de **Belém** qui se trouve dans l'église **Santo Alexandre**.

Quand

1 voulez-vous partir pour Manaus ?
2 allez-vous venir à Maceió ?
3 y-a t'il un bus pour le centre ?

A quelle heure

4 arriverez-vous ?
5 ouvre la banque ?
6 arrive l'avion de Porto Alegre ?
7 ferme la poste ?
8 servez-vous le petit déjeuner ?

Quelle heure est-il ?

9 il est huit heures du matin
10 il est midi
11 il est deux heures de l'après-midi
12 il est six heures du soir
13 il est sept heures et quart
14 il est neuf heure et demie
15 il est dix heures moins le quart
16 il est onze heures pile
17 il est minuit

➡ **RAPPELS :**

qu devant **a** ou **o** se prononce [kou…] : **quando** [kou**an**dou] *quand*.

qu devant **e** ou **i** se prononce [k] : **quer** [ké**R**] *tu veux*, **quin-ze** [**kin**zi] *quinze*.

e atone se prononce le plus souvent : [i] : **abre** [abri] *il ouvre*, parfois : [é] **chegar** [ché**gaR**] *arriver*.

Les diphtongues orales ont pour deuxième voyelle **i** ou **u**, donc **ua** n'est pas une diphtongue **duas** se prononce en deux syllabes séparées [**dou**-as] *deux*.

42

Quando   [kouandou]
  1 quer sair para Manaus ?   [**kè**R sai**R** **pa**ra ma**na**ous]
  2 vão vir a Maceió ?   [**vaon** vi**R** a mass**èyó**]
  3 tem um ônibus para o centro ?   [**tèm** oum **ô**nibous **pa**ra ou **sèn**trou]

A que horas   [a ki **ó**ras]
  4 vão chegar ?   [**vaon** ché**gaR**]
  5 abre o banco ?   [**a**bri ou **ban**kou]
  6 chega o avião de Porto Alegre ?   [**chè**ga ou a**vyaon** dji **poR**tou a**lè**gri]
  7 fecha o correio ?   [**fé**cha ou ko**Rè**you]
  8 servem o café da manhã   [**sèR**vèm ou ka**fè** da ma**nyin**]

Que horas são ?
  9 são oito da manhã   [**saon ói**tou da ma**nyin**]
  10 é meio dia   [**è mè**you **dji**a]
  11 são duas da tarde   [**saon dou**as da **taR**dji]
  12 são seis da noite   [**saon séïs** da **nóï**tchi]
  13 são sete e quinze   [**saon sè**tchi i **kin**zi]
  14 são nove e meia   [**saon nó**vi i **mè**ya]
  15 são quinze para as dez   [**saon kin**zi **pa**ra as **déïs**]
  16 são onze em ponto   [**saon** onzi èm **pon**tou]
  17 é meia noite   [**è mè**ya **nóï**tchi]

L'accent oral : (A1, A7, A9)
L'accent oral est porté sur la dernière syllabe des mots terminés
par une diphtongue (V A6) suivie ou non par **–s** :
o avião [a**vyaon**] *l'avion*, **estão** [éch**taon**] *ils sont*.
ou par la voyelle nasale **ã** suivie ou non par **–s** : **a manhã** [a
ma**nyin**] *le matin*.

Un peu de tourisme :
Maceió est la capitale de l'**Alagoas**, un des états du **Nordeste**,
outre sa culture foisonnante, cet état offre un littoral paradi-
siaque.

■ Le présent de l'indicatif des verbes terminés en **–IR** :

(eu)	**abr-o**	[abrou]	*j'ouvre*
(você, o sr, a sra)	**abr-e**	[abri]	*tu ouvres, vous ouvrez*
(ele, ela)	**abr-e**	[abri]	*il, elle ouvre*
(nós)	**abr-imos**	[abrimous]	*nous ouvrons*
(vocês, os ses, as sras)	**abr-em**	[abrèm]	*vous ouvrez*
(eles, elas)	**abr-em**	[abrèm]	*ils, elles ouvrent*

– servir se conjugue sur le même modèle sauf à la 1re personne du singulier : **sirvo** [**siR**vou], *je sers.*

■ Le présent de l'indicatif du verbe **IR**, *aller.*

(eu)	**vou**	[**vo**-ou]	*je vais*
(você, o sr, a sra)	**vai**	[vaï]	*tu vas, vous allez*
(ele, ela)	**vai**	[vaï]	*il, elle va*
(nós)	**vamos**	[**va**mous]	*nous allons*
(vocês, os ses, as sras)	**vão**	[vaon]	*vous allez*
(eles, elas)	**vão**	[vaon]	*ils, elles vont*

■ Le futur peut s'exprimer avec le verbe **ir** conjugué + infinitif : **amanhã vou sair às seis**, *demain je vais partir à 6 h.*

■ L'heure :
• Elle s'exprime avec le verbe **SER**, *être,* au singulier pour : *midi,* **é meio dia,** *1h,* **é uma hora,** et *minuit,* **é meia noite.** Pour les autres heures le verbe est au pluriel : **são duas (horas)**, *il est deux heures.*
• **Horas** est facultatif : **são cinco**, *il est cinq heures.*
• Entre l'heure *pile* (**em ponto**) et *les minutes* (**os minutos**) jusqu'à la demie il faut employer *et,* **e** [i].
São duas e dez, *il est 2 h10.*
• De la demi-heure à l'heure on exprime le nombre de minutes « jusqu'à» l'heure : **vinte para as onze**, *onze heures moins vingt,* mot à mot : *vingt* (minutes) *jusqu'à onze* (heures).
• *à 5 h, à 11 h :* **às cinco, às onze. às** est le fruit de la contraction de la préposition **a** avec l'article défini **as** (A 9).
Mot à mot : « à les onze heures ».
O vôo sai às dez, *le vol (l'avion) part à (les) 10 h.*

44

A Comment dire en portugais ?
1. *Nous ouvrons à 7h du matin.*
2. *A quelle heure ouvre la poste ?*
3. *Quelle heure est-il ?*

B Complètez avec ir:
1. **Hoje, eu … a Belém.**
2. **Amanhã, eles …à praia.**
3. **Nós….ao Rio de Janeiro.**

SOLUTIONS

A 1. **Abrimos às sete da manhã.**
    2. **A que horas abre o correio ?**
    3. **Que horas são ?**

B 1. **vou**
    2. **vão.**
    3. **vamos.**

➡ **RETENEZ AUSSI** : (pour les nombres de 1 à 10 V A5).

11 **onze** [onzi] 12 **doze** [dózi]	13 **treze** [trèzi]
14 **quatorze** [katóRzi]	15 **quinze** [kinzi]
16 **dezesseis** [dézésséïs]	17 **dezessete** [dézessètchi]
18 **dezoito** [dézóïtou]	19 **dezenove** [dézénóvi]
20 **vinte** [vintchi]	21 **vinte e um** [vintchi i oum]
22 **vinte e dois** [vintchi i dóïs]	23 **vinte e três** [vintchi i tréïs]...
30 **trinta** [trinta]	31 **trinta e um** [trinta i oum]
40 **quarenta** [kouarènta]	41 **quarenta e um** [kouarènta i oum]
50 **cinqüenta** [sinkouènta]	
51 **cinqüenta e oum** [sinkouènta i oum]	
60 **sessenta** [séssènta]	61 **sessenta e um** [séssènta i oum]
70 **setenta** [sétènta]	71 **setenta e um** [sétènta i oum]
80 **oitenta** [óïtènta]	81 **oitenta e um** [óïtènta i oum]
90 **noventa** [novènta]	91 **noventa e um** [novènta i oum]
100 **cem** [sèm]	

La ponctualité, **a pontualidade**, est inconnue des brésiliens. Selon les régions la durée des retards varie : de moins d'une demi-heure dans le sud à plusieurs heures dans le **Nordeste** jusqu'au « lapin » à Rio. Non pas que les **cariocas** ne soient pas respectueux, mais ils ne savent pas dire **não** : *oui*, **sim** doit être compris comme un *peut-être* (**talvez**).
Attention donc aux *rendez-vous* (**compromissos**) !

Combien

1 c'est ? / ça coûte ?
2 d'argent voulez-vous ?
3 de temps dure le voyage ?
4 de temps restez-vous ?

Combien

5 d'enfants avez-vous ?
6 de tunnels y-a t'il à Rio ?
7 sont-ils ?
8 de kilomètres y-a t'il ?
9 de draps bleus y-a t'il ?

Combien

10 de sœurs avez-vous ?
11 de billets désirez-vous ?
12 de valises avez-vous ?
13 de personnes vont venir ?

Depuis combien de temps

14 êtes-vous au Brésil ?
15 êtes-vous mariés ?
16 attendez-vous ?

➡ **PRONONCIATION**

RAPPELS :
s entre deux voyelles se prononce [z] : **casados** [ka**za**dous] *mariés*.
s en fin de syllabe à l'intérieur d'un mot a tendance à être chuinté : **custa** [**kouch**ta] *ça coûte*, **desde** [**dèch**dji] *depuis*.
Les **cariocas**, habitants de Rio, chuintent très fortement les **s** en finale : **as malas** [ach **ma**lach] *les valises*.

46

Quanto [**kouan**tou]
1 é / custa ? / é que custa ? [**è** / **kou**chta / é ki **kou**chta]
2 dinheiro quer ? [dji**nyéï**rou **quèR**]
3 tempo demora a viagem ? [**tèm**pou dé**mo**ra a **vya**jèm]
4 tempo fica ? [**tèm**pou **fi**ka]

Quantos [**kouan**tos]
5 filhos tem ? [**fi**lyous **tèm**]
6 túneis tem no Rio ? [**tou**néïs **tèm** nou **Ri**ou]
7 são ? [**saon**]
8 quilômetros tem / há ? [ki**lo**métros **tèm** / **a**]
9 lençois azuis tem ? [**lèn**só**ïs** a**zou**is **tèm**]

Quantas [**kouan**tas]
10 irmãs tem ? [i**Rm**ins **tèm**]
11 passagens quer ? [passa**jèns** **kèR**]
12 malas tem ? [**ma**las **tèm**]
13 pessoas vão vir ? [**pésso**as **vaon** **viR**]

Desde quando / [**dè**chdji **kouan**dou /
há quanto tempo a **kouan**tou **tèm**pou]
14 estão / está no Brasil ? [éch**taon** / éch**ta** nou bra**ziou**]
15 estão casados ? [éch**taon** ka**za**dous]
16 está / estão esperando ? [éch**ta** / éch**taon** échpé**ran**dou]

➡ PRONONCIATION

an se prononce comme dans le français *dent* : **esperando** [éch-pé**ran**dou], *en train d'attendre* ; **quanto** [**kouan**tou] *combien ?*

ã se prononce comme dans le français *main* : **irmã**, [iR**min**], *sœur*.

-am se prononce exactement de la même manière que **–ão**, la seule différence est la place de l'accent tonique (voir A1) : **estão**, *ils sont*, [éch**taon**] ; **gostam**, *ils aiment*, [**goch**taon].

■ **Combien ?**
Selon l'objet sur lequel porte l'interrogation **quanto** s'accorde en genre et en nombre :

Quanto é ?	*Combien est-ce ?*
Quantos quilômetros ?	*Combien de kilomètres ?*
Quantas pessoas ?	*Combien de personnes ?*
Quanta gente ?	*Combien de gens ?*

■ **Quanto** est aussi employé comme exclamatif, *que ! comme !* :

Quanto dinheiro !	*Que d'argent !*
Quanta gente !	*Comme il y a du monde ! Que de monde !*
Quantos turistas !	*Que de touristes!*
Quantas belezas !	*Que de beautés !*

Le pluriel : des mots terminés par **–l** :
– les mots terminées par **–al, -ol, -ul** changent cette terminaison respectivement en **–ais, -ois, -uis**.
général / généraux **geral / gerais** [jéraou / jéraïs]
le (s) drap (s) **o lençol / os lençois** [ou lènso-ou / ous lènsóis]
bleu (s) **azul / azuis** [azou-is].
-el tonique se transforme en **–éis** :
l' (les) hôtel (s) **o hotel – os hotéis** [ou otèou – ous otéïs]
-el atone se transforme en **–eis**
le (s) tunnel (s) **o túnel – os túneis** [ou tounèou –ous tounéïs]
-il tonique se transforme en **–is** :
gentil (s) **gentil – gentis** [jèntiou-jèntis]
-il atone se transforme en **–eis** :
facile (s) **fácil –fáceis** [fassyou- fasséïs]

■ **Desde**, *depuis.* **Até**, *jusqu'à..*
Desde quantos dias ? *Depuis combien de jours ?*
Até quando fica ? *Jusqu'à quand restes-tu ?*

➡ **RETENEZ AUSSI** : **demorar**, *durer,* signifie aussi *tarder, durer longtemps* : **o ônibus demora para chegar !** *le bus tarde à arriver !*

A Comment dire en portugais ?
1. *Combien ça coûte ?*
2. *Combien de temps cela dure t'il ?*
3. *Que de fruits !*

B Comprendre :
1. **Quantas pessoas são ?**
2. **Quantos quilos quer ?**
3. **Quantos dias ficam ?**

SOLUTIONS

A 1. **Quanto custa ?**
2. **Quanto tempo demora ?**
3. **Quanta fruta !**

B. *Combien de personnes êtes-vous ?*
2. *Combien de kilos voulez-vous ?*
3. *Combien de jours restez-vous ?*

➡ **RETENEZ AUSSI :**

Les jours de la semaine. **Os dias da semana :**

lundi	**segunda-feira**	[sé**goun**da **féï**ra]
mardi	**terça-feira**	[**tèR**sa **féï**ra]
mercredi	**quarta-feira**	[**kouaR**ta **féï**ra]
jeudi	**quinta-feira**	[**kin**ta **féï**ra]
vendredi	**sexta-feira**	[**sèch**ta **féï**ra]
samedi	**sábado**	[**sa**badou]
dimanche	**domingo**	[do**min**gou]

Les mois. **Os meses :**

janvier	**janeiro**	[ja**néï**rou]
février	**fevereiro**	[févé**réï**rou]
mars	**março**	[**maR**sou]
avril	**abril**	[a**bri**ou]
mai	**maio**	[**ma**you]
juin	**junho**	[**jou**nyou]
juillet	**julho**	[**jou**lyou]
août	**agosto**	[a**góch**tou]
septembre	**setembro**	[sé**tèm**brou]
octobre	**outubro**	[o-ou**tou**brou]
novembre	**novembro**	[no**vèm**brou]
décembre	**dezembro**	[dé**zèm**brou]

Dans une heure

     1 je prends l'autocar pour Rio
     2 je vais manger chez un ami

     3 je lui parlerai

Demain

     4 j'achète un hamac
     5 je vais assister à un concert de Djavan

     6 nous partirons à 7 heures

La semaine prochaine

     7 nous allons devoir payer la location de la voiture

     8 il arrivera vers 5 h

     9 je vais savoir la vérité

Un jour

     10 nous irons en France
     11 tu visiteras l'Europe
     12 ils partiront d'ici

➡ PRONONCIATION

Rappels :
r en position initiale, finale ou double est grasseyé comme le r français de *raison* [R]:
o Rio [ou **Ri**ou] *Rio (de Janeiro)*, **ter** [**téR**] *avoir*, **o carro** [ou **ka**Rou] *la voiture*.
Le **r** simple entre deux voyelles ou dans les groupes du type **–pr, -fr-, -br-**… est légèrement roulé [r] :
iremos [**ire**mous] *nous irons*, **compro** [**kom**prou] *j'achète*, **a França** [a **fran**sa] *la France*.

Daqui a uma hora
[da**ki** a **ou**ma **o**ra]

1 pego o ônibus para o Rio
[**pé**gou o **ô**nibous **pa**ra ou **Ri**ou]

2 vou comer na casa
de um amigo
[**vo-ou** ko**mèR** na **ka**za dji oum a**mi**gou]

3 falarei com ele
[fala**réï** con **è**li]

Amanhã
[ama**nyin**]

4 compro uma rede
[**kom**prou ouma **Rè**dji]

5 vou assistir a um show
de Djavan
[**vo-ou** assich**tiR** a oum **cho-ou** dji Dja**vin**]

6 vamos sair às sete horas
[**va**mos sa**iR** as **sè**tchi **ó**ras]

A semana que vem
[a sé**ma**na ki **vèm**]

7 vamos ter que pagar
o aluguel do carro
[**va**mous **téR** ki pa**gaR** ou alou**guèl** dou **ka**Rou]

8 vai chegar por volta das
5 horas
[**vaï** ché**gaR** pouR **vo-ou**ta das **sin**kou **ó**ras]

9 vou saber a verdade
[**vo-ou** sa**bèR** a vè**Rda**dji]

Um dia
[oum **dji**a]

10 iremos para a França
[i**ré**mos **pa**ra a **fran**sa]

11 vai visitar a Europa
[**vaï** vizi**taR** a é-ou**ró**pa]

12 vão embora daqui
[**vaon** èm**bo**ra da**ki**]

➡PRONONCIATION

Rappels :

La quasi totalité des mots de la langue portugaise est accentuée oralement et/ou graphiquement. De la place de cet accent dépend la prononciation des voyelles :

o atone, en finale, est prononcé [ou] : **pego** [**pé**gou] *je prends*, **vamos** [**va**mous] *nous allons*.

e atone, en finale est prononcé [i] : **a rede** [a **Rè**dji] *le hamac*, **a verdade** [a vè**Rda**dji] *la vérité*.

■ Le futur exprimé par un présent donne un sens de certitude :
Amanhã trabalho, *demain je travaille.*

On peut aussi employer le futur proche : **ir** conjugué (A10) +
verbe à l'infinitif :
Amanhã vou pagar o hotel. *demain je vais payer l'hôtel.*

■ Le futur de l'indicatif se construit sur l'infinitif des verbes
(tous groupes confondus) auquel on ajoute les terminaisons
suivantes :

(eu)	vender-ei	[-**éï**]	*je vendrai*
(você, o sr, a sra)	vender-á	[-**a**]	*tu vendras, vous vendrez*
(ele, ela)	vender-á	[-**a**]	*il, elle vendra*
(nós)	vender-emos	[-**émous**]	*nous vendrons*
(vocês, os ses, as sras)	vender -ão	[-**aon**]	*vous vendrez*
(eles, elas)	vender -ão	[-**aon**]	*ils, elles vendront*

Comprará um disco, *il achètera un disque.*
Sairemos às 8, *nous partirons à 8h.*
Il exprime une probabilité, un désir vague dont la réalisation
n'est pas garantie.
Um dia irão embora, *un jour ils partiront.* (peut être)
Um dia vão embora, *un jour ils partiront .* (sûr et certain)

■ Par contre on emploie fréquemment le futur de l'indicatif pour
exprimer une supposition, une hypothèse : *est-ce-que ?* (A4)
Será que vai embora, *est-ce qu'il part ? Il part vraiment ?*
Onde estará Pedro ? *où peut bien être Pedro ?*

■ **Les jours de la semaine, les mois** (A11)

■ **Daqui a**, mot à mot : *d'ici à* , **daqui a um mês** *dans un mois.*
Daqui a dois dias, *dans deux jours.*

➡ **RETENEZ AUSSI** :

après	**depois**	[dé**poïs**]
après-demain	**depois de amanhã**	[dé**poïs** dji ama**nyin**]
prochain(ne)	**próximo**(a)	[**pró**ssimou]
suivant	**seguinte**	[sé**guin**tchi]
le lendemain	**o dia seguinte**	[ou **djia** sé**guin**tchi]

A Complétez :
1. **Eu dormir… no hotel.**
2. **Eles comprar...um carro.**

B Comprendre :
1. **Quando é que vai sair ?**
2. **Terça-feira vou à França.**

SOLUTIONS

A 1. **dormirei**
     2. **comprarão**

1. *Quand vas-tu (allez-vous / va t'il) partir ?*
2. *Mardi, je vais en France.*

LES AMÉRINDIENS. **Os índios / os ameríndios**

• Les indiens peuplaient le Brésil à l'arrivée des portugais, en 1500. Décimés par les maladies apportées par les européens et leur mise en esclavage, ils ont dû progressivement laisser le terrain aux nouveaux arrivés. Leur sort n'a commencé à intéresser les autorités brésiliennes que vers 1920. Aujourd'hui on retrouve l'indianité d'origine dans le métissage racial et culturel.

• Les indiens qui vivent dans la tradition représentent à peine 0,2% de la population, 60 % vivent en Amazonie, mais ils sont présents dans presque tous les Etats répartis en 215 ethnies, qui tentent de survivre dans de misérables réserves ou sur des terres sans cesse rognées par la cupidité ou des intérêts économiques.

• La culture indienne a laissé au Brésil quelques traces marquantes : *le hamac* (**a rede**), présent chez tous, soit pour la détente soit pour remplacer le lit.
le manioc (**a mandioca**) tubercule souvent vénéneuse, que les indiens ont su traiter.
le maïs (**o milho**), *le tabac* (**o fumo**), la pharmacopée…

• La langue brésilienne, principalement dans le lexique de la faune et de la flore ainsi que les noms de lieux, est imprégnée de mots d'origines indiennes : **maracujá** (*fruit de la passion*), **jacaré** (*caïman*) **Itaparica** (île située en face de **Salvador da Bahia**), ita signifie *pierre*, **Iguaçu** (le suffixe –açu signifie *grand*).

• Le folklore s'inspire très largement de traditions indiennes :
Saci-Pererê : unijambiste, noir, à la pipe et au bonnet rouge qui joue des tours aux voyageurs.
Le **boto**, *dauphin de rivière* est connu pour « apparaître » sous les traits d'un bel homme et séduire les femmes. Il est le « père » d'une nombreuse descendance car c'est lui qui est à l'origine des grossesses « inexpliquées ».

Hier

1 j'ai visité le théâtre de Manaus
2 j'ai mangé un acarajé
3 j'ai regardé la télévision
4 il a acheté des billets pour le carnaval

5 il a perdu son passeport
6 elle a conduit toute la journée

La semaine dernière

7 je suis allé à Parati
8 il est allé à l'église du Bonfim
9 je n'ai pas eu le temps de visiter la cathédrale
10 il a eu un accident de voiture
11 **Il y a deux jours**, j'ai pris le car pour Salvador

12 je suis arrivé il y a deux jours
13 nous sommes ici depuis une semaine

14 il la connaît depuis un mois

UN PEU DE TOURISME :
Parati est une très jolie petite ville du XVIIIe situé sur la côte à 260 km au sud de Rio.

Manaus, capitale de l'Amazonie, située à 1700 km de l'embouchure du fleuve, possède un magnifique théâtre-opéra qui a accueilli toutes les grandes tournées internationales du XIXe siècle, époque dorée du *caoutchouc* (**a borracha**).

Ontem [**on**tèm]
1 visitei o teatro de Manaus [vizi**téï** ou tchiatrou de ma**na**ous]
2 comi um acarajé [ko**mi** oum akara**jè**]
3 assisti a televisão [assich**tchi** a télévi**zaon**]
4 comprou ingressos para o [kom**pro-ou** in**gré**ssous para ou
   carnaval   kaRna**vaou**]
5 perdeu o passaporte [pè**R**dèou ou passa**poR**tchi]
6 dirigiu o dia todo [djiri**jiou** ou **djia** tó**dou**]

A semana passada [a sé**ma**na pa**ssa**da]
7 fui a Paraty [**foui** a para**tchi**]
8 foi à igreja do Bonfim [**foï** a ig**rè**ja dou bon**fim**]
9 não tive tempo de visitar a Sé [naon **tchi**vi **tèm**pou dji vizi**taR** a **sè**]
10 teve um acidente de carro [**tè**vi oum assi**dèn**tchi dji **ka**Rou]
11 **Há dois dias,** peguei o ônibus [a **dóïs dji**as pé**guéï** ou **ô**nibous
    para Salvador   **pa**ra saouva**dôR**]
12 cheguei **há dois dias** [ché**guéï** a **dóïs dji**as]
13 estamos aqui **há** uma semana [**éch**tamous a**ki** a **ou**ma sé**ma**na]
14 conhece ela **há** um mês [ko**nyè**ssi **è**la a oum **méïs**]

L'ACCENT NON ECRIT
L'accent oral est porté sur la dernière syllabe des mots terminés par une diphtongue (A6) : **comprei** [kom**préï**] *j'ai acheté*
visitou [vizi**to-ou**] *il a visité*, **perdeu** [pè**R**déou] *il a perdu*, **dirigiu** [diri**jiou**] *il a conduit*.
ainsi que de ceux terminés par **i** : **comi** [ko**mi**] *j'ai mangé*

■ Le passé simple des verbes terminés en **–ar, -er, -ir** :

(eu)	compr-**ei**	beb-**i**	abr-**i**
(ele, você)	compr-**ou**	beb-**eu**	abr-**iu**
(nós)	compr-**amos**	beb-**emos**	abr-**imos**
(eles, vocês)	compr-**aram**	beb-**eram**	abr-**iram**

■ *Le passé simple* (**o pretérito perfeito**) de **ir** (*aller*) et **ter** (*avoir*)

(eu)	**fui**	**tive**
(ele, você)	**foi**	**teve**
(nós)	**fomos**	**tivemos**
(eles, vocês)	**foram**	**tiveram**

ser, se conjugue au passé simple exactement comme **ir** (*aller*) :
ele foi engenheiro   *il a été ingénieur*
fomos jovens   *nous avons été jeunes*

Le **pretérito perfeito** (en français, passé simple et/ou passé composé), indique une action passée totalement écoulée au moment où elle est relatée.
Há um mês fui ao Rio.   *Il y a un mois je suis allé à Rio.*

■ **desde**, *depuis*, indique le point de départ
está aqui desde segunda-feira   *il est ici depuis lundi*

■ **Há**, *il y a* , (A5) **há muito tempo** *il y a longtemps*
au passé simple : **houve**, *il y a eu, il y eut*, à l'imparfait : **havia**,
il y avait.

■ **Perdeu o passaporte**, *il a perdu son passeport* : les possessifs
(A6) ne sont pas exprimés quand le rapport de possession semble
évident : **ela e o filho**   *elle et son fils*

➡ **RETENEZ AUSSI :**

| *avant hier* **anteontem** | *la veille* **a véspera** |
| *passé(e)* **passado / passada** | *avant / après* **antes / depois** |

A Complétez :
1. Ele beb … água
2. Nós compr....uma rede.
3. Eles com... bem.

B Comprendre :
1. Foi ao banco ?
2. Tiveram tempo ?
3. Gostaram da visita ?

SOLUTIONS

A 1. **bebeu**   2. **compramos**   3. **comeram**
B 1. *Vous êtes / tu es / il est allé à la banque ?*
2. *Vous avez / ils ont eu le temps ?*
3. *Vous avez / ils ont aimé la visite ?*

LA CUISINE BAHIANAISE. **A cozinha baiana.**

C'est la plus typique, elle est partie d'Afrique pour s'enraciner sur les côtes du **Nordeste** : à sa base : *l'huile de palme* (**o óleo dendê**), rouge et épaisse au goût caractéristique, *le coco* (**o coco**), *les gombos* (**os quiabos**), *les crevettes* (**os camarões**) sèches ou non, *le manioc* (**a mandioca**) de toutes les espèces et sous toutes ses formes, *le citron vert* (**o limão verde**), *le maïs* (**o milho**) ainsi que *le riz* (**o arroz**) et *les haricots secs* (**feijões**).
Cette cuisine savoureuse est aussi celles des *saints* (**orixás**) du panthéon du **candomblé** (religion afro-brésilienne V. A17). Dans les rues on peut voir des bahianaises en robes typiques de *dentelle* (**renda**) blanche, parées de colliers aux couleurs de leur **orixá** qui installent leur *plateau* (**tabuleiro**) et font chauffer l'huile de **dendê** pour y faire *frire* (**fritar**) les **acarajés**. Ce sont des beignets de pâte de haricots et crevettes, fourrés au **vatapá** (purée de poisson, crevettes et arachides) et *piment* (**pimenta**).
Le **Nordeste** est la zone de *la canne à sucre* (**a cana de açúcar**) c'est peut-être pour cela que *les desserts* (**as sobremesas**) sont *très sucrés* (**muito doces**). Sur les plateau des bahianaises on peut choisir des **cocadas** (coco râpé et sucré) *blanches* (**brancas**) ou *noires* (**pretas**), ou encore des **doces** (pâtes de fruits tropicaux).

L'église de **Nosso Senhor do Bonfim** est la plus célébrée de Salvador da Bahia : chaque 2ème jeudi de janvier les filles et mères de saints y pratiquent un *lavage* rituel (**lavagem**). On peut y acquérir des *rubans* (**fitas**) qu'on attache au poignet par trois nœuds correspondant à trois vœux qui seront exaucée quand l'usure le fera tomber. Ne pas manquer le musée des ex-votos.

Avant

1 j'aimais le piment
2 il écrivait beaucoup de cartes postales
3 nous venions toujours à cette plage
4 il demandait un petit verre de vin
5 elles posaient beaucoup de questions
6 elle demandait souvent si j'étais fatiguée
7 on achetait toujours des petites bouteilles de sable

Quand

8 il était petit il parlait bien portugais
9 nous allions sortir, il est entré
10 on était au Brésil, on buvait de la bière
11 j'avais l'habitude de voyager en car
12 il était une fois …
13 il n'y avait pas moyen de changer des chèques de voyage

➡ PRONONCIATION

s se prononce [z] comme dans le français *zèbre*, quand il est entre deux voyelles : **Brasil** [bra**z**iou].

s se prononce [s] comme dans le français *sage*, devant toutes les voyelles en début de syllabe : **se** [si], **cansado** [kan**s**adou].

s se prononce [ch] quand il est en fin de syllabe : **escrevia** [é**ch**krévia] *il écrivait.*

Les **cariocas**, habitants de Rio de Janeiro , ont un accent bien caractéristique dont une des particularités est de chuinter fortement les s en position finale (de syllabe ou de mot).

   cartões postais [kaRton-**ich** poch**taïch**]

• **nh** se prononce [ny] un peu comme en français *agneau*, **vínhamos** [**vi**nyamous] *nous venions*, **copinho** [kopi-nyou] *un petit verre*, **vinho** [**vi**nyou] *vin*.

Antes	[**an**tchis]
1 gostava de pimenta	[goch**ta**va dji pi**mèn**ta]
2 escrevia muitos cartões postais	[échkré**vi**a **moui**tous kaR**ton-is** poch**taïs**]
3 vínhamos sempre a esta praia	[**vi**nyamous **sèm**pri a **èch**ta **pra**ya]
4 pedia um copinho de vinho	[pé**dji**a oum ko**pi**nyou dji **vi**nyou]
5 faziam muitas perguntas	[fazi-an **moui**tas pèR**goun**tas]
6 perguntava muitas vezes se eu estava cansada	[pèRgoun**ta**va **moui**tas **vè**zis si **èou** éch**ta**va kan**sa**da]
7 comprávamos sempre garrafinhas de areia	[kom**pra**vamous **sèm**pri ga**Ra**finyas dji a**rè**ya]

Quando	[**kouan**dou]
8 era pequeno falava bem português	[**é**ra pé**ké**nou fa**la**va bèm poR**tou**gu**éïs**]
9 íamos sair, ele entrou	[**i**amous sa**iR** **è**li èn**tro-ou**]
10 estávamos no Brasil, bebíamos cerveja	[éch**ta**vamous nou bra**ziou**, bé**bi**amous sèR**vè**ja]
11 costumava viajar de ônibus	[kochtou**ma**va vya**jaR** dji **ô**nibous]
12 era uma vez...	[**è**ra **ou**ma **véïs**]
13 não tinha jeito de trocar cheques de viagem	[naon **tchi**nya **jéï**tou de tro**kaR** **chè**kis dji via**jèm**]

➡ **PRONONCIATION**

La lettre h ne correspond à aucun son : **hoje** [**ó**ji] aujourd'hui.
L'accent non écrit : (voir A1, A7, A9)
L'accent oral est porté sur la dernière syllabe des mots terminés
par une diphtongue (voir A6) suivie ou non par **–s** :
cartões [kaR**ton-is**], *cartes* ; **postais**[poch**taïs**] *postales*.

■ *L'imparfait de l'indicatif* (**o imperfeito do indicativo**), verbes en **–ar** + **ava...** **-er** et **–ir** + **ia...**

	j'aimais...	*je mangeais...*	*j'allais...*
	gost-ar	com-er	ir
(eu)	gost-ava	com-ia	ia
(ele você)	gost-ava	com-ia	ia
(nós)	gost-ávamos	com-íamos	íamos
(eles vocês)	gost-avam	com-iam	iam

– 4 verbes font exception dont : **ser** (*être*), **ter** (*avoir*), **vir** (*venir*) :

	j'étais...	*j'avais...*	*je venais*
	ser	ter	vir
(eu)	era	tinha	vinha
(ele você)	era	tinha	vinha
(nós)	éramos	tínhamos	vínhamos
(eles vocês)	eram	tinham	vinham

– On emploie l'imparfait dans les mêmes cas qu'en français.
– *Je voudrais*, **queria** (A8), **querer** est employé à l'imparfait au lieu du conditionnel.

■ *demander* : *poser une question* : **perguntar, fazer uma pergunta.** *Demander quelque chose* : **pedir.**
Ele me perguntou se podia sair.
Il m'a demandé s'il pouvait sortir.
Pedir dinheiro. *Demander de l'argent.*

■ copo / cop**inho**, garrafa / garraf**inha**
Les diminutifs **–inho** (**s**) **–inha** (**s**) sont accolés après la consonne qui suit la syllabe tonique : a <u>ma</u>la *la valise,* a **malinha** *la petite valise,* **o** <u>ga</u>to *le chat,* **o gatinho** *le petit chat.*
Bien entendu, il désigne des <u>choses de petite taille</u>, mais, il peut aussi être employé avec un <u>sens dépréciatif</u> : **este livrinho** *ce petit livre,* dans le sens de *mauvais*. Il est sans cesse employé, au Brésil dans un <u>sens affectif</u> : **que bonitinho** ! *qu'il est mignon*!, et même avec les prénoms : **Cátia, Catinha,** *ma petite Catia.*

➡ **RETENEZ** : **devagarinho** *lentement,* **pertinho** *tout près.*

A Comment dire ?
1. *Que vouliez-vous ?*
2. *Nous aimions beaucoup marcher.*
3. *C'était très cher !*

B Comprendre :
1. **Ela estava em Manaus.**
2. **Íamos sempre à praia.**
3. **Era bonito ?**

SOLUTIONS

A 1. **O que é que queria** ?
2. **Gostávamos muito de andar**.
3. **Era muito caro.**

B 1. *Il était à Manaus.*
2. *Nous allions toujours à la plage.*
3. *C'était beau ?*

ARTISANAT

On trouve sur toute la côte nordestine des petites bouteilles de verre remplies de *sable* (**areia**) coloré qui compose un dessin, de paysages, **de jangadas** (*embarcations* des pêcheurs du Ceará)…

Gastronomie : si la cuisine brésilienne n'est pas toujours pimentée, mais *le piment* (**a pimenta**) est toujours présent sur les tables. Il faut les préférer *maison* (**caseiros**) car le Brésil produit quelques dizaines de sortes de piments, les plus usités sont : **a pimenta malagueta**, genre de piment d'oiseau, et, **a pimenta de cheiro** « piment d'odeur » *piripiri*. Beaucoup d'autres sortes sont commercialisées, bien arrangées dans de très beaux bocaux..
poivre se dit : **pimenta do reino**, *piment du royaume*.

➡ **RETENEZ AUSSI** : **o jeito**, *le moyen, la manière de.*
Tem jeito de entrar ? *Y-a t'il un moyen d'entrer ?*
Não tem jeito. *Il n'y rien à faire, il n'y a pas moyen, impossible !*
Devient **jeitinho**, *la combine, le truc, le coup de pouce.*
C'est la clé du quotidien des brésiliens et des touristes aux prises à des soucis, le petit plus, typiquement brésilien, qui permet de trouver de la place où il n'y en a pas, d'échapper à certaines formalités ou interdits …
Dê um jeitinho. *Arrangez moi ça ! Faites un petit plus !*
Vou dar um jeitinho. *Je vais arranger cela.*

61

Comment

1 allez-vous ?

2 est le temps à Brasília ?

3 t'appelles-tu ?

4 ça marche ?

5 êtes-vous allés à Manaus ?

6 puis-je aller à Feira-de-Santana ?

Pourquoi

7 pars-tu aujourd'hui ?

8 parce que je dois être à Natal demain.

9 ne restez-vous pas plus longtemps ?

10 parce que j'ai déjà acheté mon billet

Pourquoi

11 demandes-tu de l'argent ?

12 c'est pour manger

13 voulez-vous mon passeport ?

14 pour contrôler le visa.

➡ **UN PEU DE TOURISME**

Brasília est la 3ᵉ capitale du Brésil (depuis 1960) après **Rio de Janeiro** (1763-1960) et **Salvador da Bahia** (1549-1763). Ancien projet de déplacer la capitale en plein centre du pays, c'est le Président **Jucelino Kubitschek** qui prendra l'initiative de sa construction. **Lúcio Costa**, urbaniste lui donne une forme d'avion pour certains, en forme de croix pour d'autres et l'architecte **Oscar Niemeyer** fait ériger des édifices modernes voir futuristes.

Brasília et ses **satélites**, *banlieues*, constituent ce que l'on appelle le *District Fédéral* (**Distrito Federal**).

Como [**kó**mou]

1 está / estão ?   [éch**ta** / éch**taon**]

2 está o tempo em Brasília ?   [éch**ta** ou **tèm**pou èm brazi**lya**]

3 se chama ? / é seu nome ?   [si **cha**ma / è **sè**ou **nó**mi]

4 funciona ?   [foun**syo**na]

5 foram a Manaus ?   [**fo**raon a ma**na**ous]

6 posso ir a Feira de Santana ? [**pó**ssou **iR** a **féï**ra dji san**ta**na]

Por que [pouR **ké**]

7 vai embora hoje ?   [**vaï** èm**bo**ra **ó**ji]

8 porque tenho que estar em   [pouR**ké tè**nyou ki éch**taR** èm
   Natal amanhã.   na**ta**ou ama**nyin**]

9 não ficam mais tempo ?   [naon **fi**kaon maïs **tèm**pou]

10 porque já comprei minha   [pouR**ké** ja kom**préï mi**nya pa**ssa**jèm]
    passagem.

Para que [**pa**ra **ké**]

11 está pedindo dinheiro ?   [éch**ta** pé**djin**dou dji**nyéï**rou]

12 é para comer.   [è **pa**ra ko**mèR**]

13 está querendo meu passaporte ? [éch**ta** ké**rèn**dou **mè**ou passa**poR**tchi]

14 para fiscalizar o visto   [**pa**ra fichkali**zaR** ou **vich**tou]

➡ **PRONONCIATION**

Dans certaines régions, surtout au **Nordeste** le –**r** final à
tendance à ne pas être prononcé, la voyelle qui précède est
alors très fermée (A5) :

Comer [ko**mèR**] / [ko**mé**] *manger*.

O senhor [ou sé**nyôR**] / [ou sé**nyô**] *vous* (à un homme).

■ *Comment*, **como, como vai a Ouro Preto** ? *Comment vas-tu à Ouro Preto* ? (*en car* ? **de ônibus** ? *en voiture* ? **de carro** ?)
Remarquez : **ir de**, *aller en* : (pour **ir** voir. A10)
vou a Brasília de avião, *je vais à Brasília en avion*.
vamos à praia de bicicleta, *nous allons à la plage en bicyclette*.
Mais : **ir a pé**, *aller à pied*.

■ *Comment t'appelles-tu* ? **Como se chama** ? et, dans la langue orale : **Como é seu nome** ? *Comment est ton nom* ?

■ **Por que**, pourquoi interroge sur la cause :
por que chegaram tarde ? *pourquoi êtes-vous arrivés tard* ?
Para que, pourquoi interroge sur l'objectif, le but :
Para que querem minha mala ? *Pourquoi voulez-vous ma valise* ? (*pour en faire quoi* ? *Dans quel objectif* ?)

■ **Porque**, en un seul mot : *parce que*.

■ Quand l'interrogation est placée en fin de phrase **que** (*quoi, que*) prend un accent circonflexe : **quê** ? Q*uoi* ?
– **Foram ao Rio** ? **De quê** ? *Vous êtes allés à Rio* ? *Comment* ?
– **Vão embora** ? **Por quê** ? *Vous partez* ? *Pourquoi* ?
– **Quer o carro** ? **Para quê** ? *Tu veux la voiture* ? *Pourquoi* ?

■ **Já**, *déjà*, (A18) est placé avant le verbe :
Já visitaram Manaus ? *Avez-vous déjà visité Manaus* ?
Já comeram acarajés ? *Avez-vous déjà mangé des acarajés* ?
Até já : *au revoir. A tout de suite* !
Eu vou já, já ! *Je pars tout de suite*!

➡ **RETENEZ AUSSI** : *les ordinaux* (os ordinais)

1ᵉʳ **primeiro** [primÉïrou]	2ᵉ **segundo** [ségoundou]
3ᵉ **terceiro** [tèRsÉïrou]	4ᵉ **quarto** [kouaRtou]
5ᵉ **quinto** [kinto]	6ᵉ **sexto** [sèchtou]
7ᵉ **sétimo** [sètchimou]	8ᵉ **oitavo** [óïtavou]
9ᵉ **nono** [nónou]	10ᵉ **décimo** [dèssimou]

A Comment dire en portugais ?
1. *Tu es déjà allé en France ?*
2. *Il part ? Pourquoi ?*
3. *Il va à Rio en bus ?*

B Comprendre :
1. **Já vai ? Por quê ?**
2. **Para que quer entrar aqui ?**
3. **Vão a Manaus de barco ?**

SOLUTIONS

A 1. **Já foi à França ?**
2. **Vai embora ? Por quê ?**
3. **Vai ao Rio de ônibus ?**

B 1. *Tu pars déjà ? Pourquoi ?*
2. *Tu veux entrer ici pour quoi faire ?*
3. *Vous allez à Manaus en bateau ?*

LES NOIRS Os negros

• Amenés comme *esclaves* (**escravos**) dés le début de la colonisation (XVIe) pour travailler dans les champs de *canne à sucre* (**cana de açúcar**), ils venaient de différentes régions d'Afrique.
• Les deux langues qui ont le plus enrichi le portugais sont le **yoruba**, originaire du Bénin et le **quimbundu**, bantou d'Angola et du Congo.
• Le **yoruba** est la langue des rites religieux du **candomblé**, celle des **orixás** (*saints*) et de la cuisine. Le **quimbundu** a marqué le vocabulaire de la vie rurale, comme les symboles de la société coloniale que sont *la propriété* du maître (**a fazenda**) et les *baraquements des esclaves* (**senzala**), le vocabulaire affectueux des *nounous* (**babás**) qui élevaient la descendance des maîtres : **o cafuné** : petite caresse dans les cheveux, et beaucoup d'autres domaines : **o moleque**, *le garnement* ; **o samba** ; **a bunda**, *les fesses* ainsi qu'un autre mot qui désigne la même choses : o **bumbum**.
• Les cales des bateaux négriers ont abrité *la foi* (**a fé**) de ces africains. Christianisés de force, ils ont su dissimuler leurs *dieux* (**orixás**) derrières des images pieuses des portugais, c'est la naissance du **candomblé** et d'autres variantes de métissage religieux comme la **macumba**, l'**umbanda** …

➡ **RETENEZ** : **nego** [**né**gou], *mec*, est une manière courante et très familière de s'adresser à un homme : **Ói nego !** *Salut mec !*

1 allez à Alcântara, c'est très beau

2 bois cette cachaça, elle est excellente.
3 prenez ce médicament tous les matins

4 lis ce livre, il est très intéressant

5 prenez le vol de 7 heures
6 marchez jusqu'à l'église, et tournez à droite
7 n'allez pas sur cette plage, elle est dangereuse
8 n'entrez pas c'est interdit
9 ne conduis pas vite, il y a beaucoup de virages

10 ne ratez pas cette occasion

11 peut-être qu'il va acheter une émeraude

12 il est possible qu'il vienne
13 il est probable qu'il pleuve
14 je veux que tu viennes avec moi
15 il est important que tu téléphones à l'hôtel

➥ UN PEU DE TOURISME
Alcântara, ville historique située en face de **São Luís do Maranhão**. Prospère grâce aux *moulins à sucre* (**engenhos**), à la culture du *coton* (**algodão**), du *riz* (**arroz**) et à l'extraction du *sel* (**sal**), jusqu'au XIXe *siècle* (**século dezenove**). Sa riche population l'a désertée. Aujourd'hui elle est presque une ville fantôme aux splendides *demeures* (**casarões**) décrépies.

66

1 vão a Alcântara, é muito bonito	[**vaon** a aou**kan**tara **è moui**tou bo**ni**tou]
2 beba esta cachaça, é excelente	[**bè**ba **èch**ta ka**cha**ssa **è** éssé**lèn**tchi]
3 tome este remédio todas as manhãs	[**to**mi **èch**ti Ré**mè**djyou **to**das as ma**nyins**]
4 leia este livro, é muito interessante	[**lè**ya **èch**ti **li**vrou **è moui**tou intéré**ssan**tchi]
5 pegue o vôo das sete	[**pè**gui ou **vo**-ou das **sè**tchi]
6 ande até a igreja e vire à direita	[**an**dji a**tè** a i**grè**ja i **vi**ri a dji**réï**ta)
7 não vá a essa praia, é perigosa	[naon **va** a **è**ssa **pra**ya **è** péri**gó**za]
8 não entre é proibido	[naon **èn**tri **è** pro-i**bi**dou]
9 não dirija com velocidade,	[naon dji**ri**ja kon vélossi**da**dji **tèm** tem muitas curvas **moui**tas **kouR**vas]
10 não perca esta oportunidade	[naon **pèR**ka **èch**ta opoRtouni**da**dji]
11 talvez compre uma esmeralda	[taou**véïs kom**pri **ou**ma èchmé**raou**da]
12 é possível que venha	[**è** po**ssi**vè-ou ki **vèn**ya]
13 é provável que chova	[**è** pro**va**vè-ou ki **chó**va]
14 quero que venha comigo	[**kè**rou ki **vén**ya co**mi**gou]
15 é importante que telefone para o hotel	[**è** impo**Rtan**tchi ki télé**fo**ni **pa**ra ou o**tè**ou]

➡ ORTHOGRAPHE

Le groupe *ph* [f] n'existe pas, on écrit simplement **f** : tele-
fone [télé**fo**ni], *téléphone*.
Officiellement k, w, y n'existent pas dans l'alphabet portugais sauf pour les transcriptions de noms propres mais pas
tous : uísqui [ou**ich**ki]whisky, **quilômetro** [ki**lo**métrou]
kilomètre, **Nova Iorque** [**no**va i**or**ki] *New York*.

■ Les formes de l'impératif et du subjonctif sont, puisque l'on utilise généralement pas **tu** (seule personne usitée qui différencie ces 2 modes) identiques.

Ces deux modes se construisent sur le radical de la première personne du singulier du présent de l'indicatif (A7, A8, A10) la voyelle de la terminaison est –e pour les verbes en –**ar**, -**a** pour ceux en – **er** et –**ir** :

	tom-ar	com-er	dirig-ir
(eu)	tom-e	com-a	dirij-a
(ele)	gost-e	com-a	dirij-a
(nós)	gost-emos	com-amos	dirij-amos
(eles)	gost-em	com-am	dirij-am

➡ **REMARQUEZ :** -g- de **dirigir** devient –j- pour maintenir le son [j] devant -**a**. De la même manière de -g- de **pegar** devient **gu** devant –**e** : **que pegue esse vôo** *qu'il prenne ce vol*

Cette construction est la même pour les verbes irréguliers à la 1re personne du présent de l'indicatif : *aller* (A10) : **ir, vou, vá** ; *perdre* : **perder, perco, perca** ; *venir* : **vir, venho, venha** ; *avoir* (A5) : **ter, tenho, tenha** ; *pouvoir* (A9) : **poder, posso, possa...** Seuls 5 présentent un radical spécifique au subjonctif : **estar, que eu esteja** ; **ser, que eu seja, querer, que ele queira** ; **saber** (*savoir*) **que nós saibamos** ; **haver, para que haja** (*pour qu'il y ait*).

➡ **RAPPEL** : les démonstratifs (A6)
   Esta cachaça, *cette cachaça*; **este remédio**, *ce médicament*

Comprenez quelques *panneaux routiers* (**placas**) :
Evite danos à sinalização.
Evitez d'endommager la signalisation.
Obedeça à sinalização, evite acidentes !
Obéissez à la signalisation, évitez les accidents !
Ultrapasse sempre pela esquerda.
Doublez toujours à gauche.

LA TÉLÉVISION

Les **telenovelas** : ces feuilletons quotidiens qui peuvent comporter des centaines d'épisodes, durer en moyenne 6 mois, sont très prisés par l'ensembles des brésiliens, riches ou pauvres tous y assistent. Il ne faut rien organiser avec des brésiliens avant la fin de la **telenovela** de *8 heures* (**das vinte**), la plus prisée. Il en existe plusieurs styles :

- la fresque historique comme l'arrivée des immigrants italiens (**Terra Nostra**), la vie à l'époque coloniale (**Dona Beija**).
- la mise en images de romans : **A escrava Isaura** (*L'esclave Isaura*).
- le régionalisme : **Pantanal**

Et, le plus fréquent est la dramatisation de faits de société : l'adultère, les mères porteuses, l'adoption, la drogue…Les personnages deviennent de véritables sujets de conversation, ils font l'objet de commentaires, d'amour, de haine, de tendresse…ils font partie du quotidien familial et de la vie de l'ensemble des brésiliens.

Les modes changent, s'installent en fonction des **telenovelas**, bijoux, éléments décoratifs, vêtements, coiffures, musiques, danses… la mode brésilienne, les mœurs varient au rythme de ces roman-photos filmés. Ainsi, en 2002, **la telenovela O clone** (*Le clone*)**,** histoire de brésilo-marocains à provoqué un rush touristique vers le Maroc, l'ouverture de nombreux cours de danse du ventre, la mode des bagues à chaîne, des vente-record de disques de musique arabe…

Le **telenovela** est aussi le véhicule de la langue, les mots et expressions qui y sont employés seront repris par l'ensemble des brésiliens. Basées sur un scénario succinct, tournées au fur et à mesure, elles évoluent selon les sondages d'opinions : tel personnage ne plaît pas, on le fait partir en Europe ou mourir, tel autre remporte un franc succès, on lui renforce son rôle.

Quand arrive le jour de terminer, personne ne peut manquer le dernier épisode, alors on le passe deux fois. Quand l'opinion diverge entre une fin triste ou une gaie, on tourne les deux, dans tous les cas elle seront morales et manichéennes.

Beaucoup

1 j'aime beaucoup cette musique
2 nous voyageons beaucoup
3 il trouve qu'il y a beaucoup de bruit
4 je veux acheter beaucoup de choses

Peu

5 je veux un café avec peu de sucre
6 il y avait peu de monde dans cette rue
7 il y a peu de boutiques dans cette ville
8 10 kilomètres, c'est un peu loin !
9 il mange peu

Trop

10 je trouve qu'elle travaille trop
11 il y a trop de monde dans cet autobus
12 je suis trop fatigué

Assez

13 ce vol arrive assez tôt
14 il est assez riche
15 il est pas mal en retard

Plus

16 tu veux plus de haricots ?
17 je vais acheter deux bouteilles de plus
18 je n'ai plus d'argent
19 il n'y a plus rien

➡ **PRONONCIATION**

lh [ly] se prononce approximativement comme *li* dans le français *palier* :
barulho [ba**rou**lyou] *bruit,*
trabalha [tra**bal**ya] *il travaille.*

Muito [**moui**tou]
1 gosto muito desta música [**góch**tou **moui**tou **dèch**ta **mou**zika]
2 viajamos muito [vya**ja**mous **moui**tou]
3 acha que tem muito barulho [acha ki **tèm moui**tou ba**roul**you]
4 quero comprar muitas coisas [**ké**rou kom**praR moui**tas **kóï**zas]

Pouco [**po-ou**kou]
5 quero um café com pouco a- [**ké**rou oum ka**fè** con **po-ou**kou
çúcar assou**kaR**]
6 tinha pouca gente naquela rua [**tchi**nya **po-ou**ka **jèn**tchi na**kè**la
Roua]
7 tem poucas lojas nesta cidade [**tèm po-ou**kas **ló**jas **nèch**ta si**da**dji]
8 dez quilômetros, é um pouco [**déïs** kilo**mé**trous **è** oum **po-ou**kou
longe ! **lon**ji]
9 ele come pouco [**è**li **ko**mi **po-ou**kou]

Demais [**dji**maïs]
10 acho que ela trabalha demais [a**chou** ki **è**la tra**ba**lya dji**maïs**]
11 há gente demais neste ônibus [a **jèn**tchi dji**maïs nèch**tchi **o**nibous]
12 estou cansado demais [ech**to-ou** kan**sa**dou dji**maïs**]

Bastante [bas**tan**tchi]
13 este vôo chega bastante cedo [**èch**tchi **vo-ou chè**ga bas**tan**tchi
sèdou]
14 é bastante rico [**è** bas**tan**tchi **Ri**kou]
15 atrasou bastante [atra**zo-ou** bas**tan**tchi]

Mais [**maïs**]
16 quer mais feijão ? [**kèR maïs** fé**ï**jaon]
17 vou comprar mais duas [**vo-ou** kom**praR maïs dou**as
garrafas ga**Ra**fas]
18 não tenho mais dinheiro [naon **tè**nyou **maïs** dji**nyéï**rou]
19 não tem mais nada [naon **tèm maïs na**da]

71

■ **Muito / pouco** (*beaucoup / peu*) varient en genre et en nombre avec le substantif qui les suit :

Há muita gente aqui.	*Il y a beaucoup de monde ici.*
Tenho poucas malas.	*J'ai peu de valises.*

– Mais sont invariables quand ils dépendent d'un verbe ou d'un adjectif :

Ela é muito bonita.	*Elle est très jolie.*
Bebemos pouco.	*Nous buvons peu.*

■ **Demais**, *trop*, se place après un verbe :

Ele come demais.	*Il mange trop.*

– Et aussi <u>après</u> un adjectif ou un substantif :

É grande demais.	*C'est trop grand.*
Há carros demais por aqui.	*Il y a trop de voitures par ici.*

■ **Bastante** est aussi employé dans le sens de « *pas mal, beaucoup* » :

Fala bastante.	*Il parle beaucoup.*
É bastante dinheiro !	*C'est pas mal d'argent !*

■ **Mais** aussi a deux emplois : *plus* et *encore*

Aqui é mais bonito	*Ici, c'est plus beau.*
Quero mais uma água.	*Je veux encore une eau (une eau de plus)*

Ne ...plus est construit de la même manière qu'en français :
Não quero mais água. *Je ne veux plus d'eau.*
Remarquez : dans les commerces on vous demande :
Mais alguma coisa ? *Désirez-vous autre chose ?*

■ **Achar**, *trouver, penser que, croire* :

O que acha deste lugar ?	*Que penses-tu de cet endroit ?*
Acho ótimo!	*Je le trouve super!*

■ **Les démonstratifs** (A4), comme les articles (A3, A5, A9), se contractent avec certaines prépositions :

– **De + este, esse...** = **deste, desse...**
Gosto daquela casa. *J'aime cette maison.*

– **Em + este, esse ...neste, nesse ...**
Ele mora neste bairro. *Il habite dans ce quartier.*

A Comment dire en portugais ?   **B Comprendre :**
1. *Je veux un peu de lait.*   1. **Quer mais café ?**
2. *Elles parlent un peu portugais.*   2. **Falam bastante bem !**
3. *Il boit trop.*   3. **É grande demais.**

SOLUTIONS

A 1. **Quero um pouco de leite.**   B 1. *Tu veux plus de café ?*
    2. **Falam um pouco português**.   2. *Vous parlez assez bien !*
    3. **Bebe demais.**   3. *C'est trop grand.*

RELIGION. Religiões

• **Le candomblé** est la plus authentique des religions d'origine africaine. Les adeptes se réunissent dans un **terreiro**, local où un *père* ou *une mère de saint* (**um pai**, **uma mãe de santo**) préside les cérémonies pendant lesquelles le fidèle en transe est chevauché par son *saint* **orixá** [ori**cha**]. Les typiques bahianaises aux robes de dentelle blanche en font partie. Le panthéon du **candomblé** est très complexe et varie selon le type de **candomblé** pratiqué. Chaque **orixá**, est lié à un élément de la nature et il possède des attributs biens spécifiques : couleur, instrument de musique, cuisine, danse…La plus vénérée des **orixás** est **Iemanjá**, *esprit des eaux salée*, elle est somptueusement fêté le 1ᵉʳ janvier à Rio et le 2 février à Salvador.

• **La macumba** est un rite moins complexe et plus lié à la sorcellerie. On ne manque par de voir partout au Brésil des offrandes : bougies, l'alcool…

• **L'umbanda** ajoute le spiritisme aux mélanges précédents.

• **La capoeira** : lutte dansée où les hommes s'affrontent sans se toucher, au son du **berimbau** (instrument de musique monocorde en forme d'arc.)

1 Tu es / vous êtes français ?
  • Oui (je le suis).
2 Tu aimes / vous aimez le Brésil ?
  • Oui (je l'aime).
3 Tu es / vous êtes en train de voyager à travers le Brésil ?
  • Oui (je suis / j'le suis)
4 Tu as / vous avez regardé la télénouvelle ?
  • Oui (je l'ai regardée).
5 Vous allez à Brasília ?
  • Oui, nous y allons.
6 Il a vraiment coûté 500 reais ?
  • oui (il a coûté).
7 Vous avez déjà visité Iguaçu ?
  • Oui, déjà !
8 Tu connais / vous connaissez le Pantanal ?
  – Pas encore !
9 Il y a longtemps que vous êtes ici?
  • Non, on vient d'arriver.
10 Vous êtes français ?
  • Non, nous sommes belges.
11 Vous savez parler portugais ?
  – Non, je ne le sais pas.

➡ **UN PEU DE TOURISME**

Les chutes d'Iguaçu, **as cataratas de Iguaçu**, sont les plus grandes chutes du monde par leur débit d'eau. Frontière entre l'Argentine et le Brésil elles sont situées dans un immense parc national, à la végétation luxuriante, à la faune variée, où coulent des centaines d'autres cascades. Il faut visiter *le côté* (**o lado**) brésilien et le côté *argentin* (**argentino**).

Iguaçu signifie en langue indienne : *grandes eaux*.

1 É francês ? [è fran**séïs**]
   • Sou [**so-ou**]
2 Gosta do Brasil ? [**gó**chta dou bra**ziou**]
   • Gosto [**gó**chtou]
3 Está viajando pelo Brasil ? [**éch**ta vya**jan**dou **pé**lou bra**ziou**]
   • Estou / tou [**éch**tou / to-ou]
4 Assistiu a novela ? [assich**tyou** a télénové**la**]
   • Assisti [assich**tchi**]
5 Vão a Brasília ? [**vaon** a bra**zi**lya]
   • Sim, vamos [**sim va**mous]
6 Custou mesmo quinhentos [kouch**tou mej**mou ki**nyèn**tous
   reais ?   **ré**ais]
   • Custou. [kouch**to-ou**]
7 Já visitou Iguaçu ? [**ja** vizi**to-ou** igoua**ssou**]
   • Já ! [**ja**]
8 Conhece o Pantanal ? [ko**nyè**ssi ou panta**naou**]
   – Ainda não ! [**aïn**da **naon**]
9 Estão aqui há muito tempo ? [**éch**taon a**ki** a **moui**tou **tèm**pou]
   • Não, não acabamos de chegar. [**naon** akaba**mous** dji ché**gaR**]
10 São franceses ? [**saon** fran**sè**zis]
   • Não, somos belgas. [**naon so**mous **bè-ou**gas]
11 Sabe falar português ? [**sa**bi fa**laR** poRtou**guéïs**]
   – Não, náo sei. [**naon naon séï**]

➡ **PRONONCIATION**
Dans la langue orale la syllabe non accentuée du verbe
estar conjugué tend à disparaître :
estou – tou [**to-ou**] *je suis*
está – tá [**ta**] *il est*
estão- tão [**taon**] *ils sont*
On s'en sert souvent pour dire "*d'accord*" :
– **Vamos embora amanhã, tá ?** *Nous partons demain,
   d'accord ?*
– **Tá !** *Oui ! | D'accord !*

■ *Oui*, **sim**, n'est presque jamais employé car, pour répondre affirmativement on reprend le verbe de l'interrogation, au même temps :
• **Gosta desta cidade ?** *Tu aimes/ vous aimez cette ville ?*
  Gosto. *Oui, je l'aime.*
• **Estão comendo ?** *Vous êtes en train de manger ?*
  Estamos. *Oui.*

– On peut aussi réprendre l'adverbe de la question :
  Já foram a São Paulo ? *Vous êtes déjà allés à São Paulo ?*
  Já ! *Oui !*

■ *Non*, **não** est toujours complété par la reprise du verbe à la forme négative :
  Conhece Búzios ? *Tu connais / vous connaissez Búzios ?*
  Não, não conheço. *Non, je ne connais pas.*
  Dans la langue populaire on entend souvent :
• **Sabe onde é a rua… ?** *Savez-vous où est la rue… ?*
  Sei não ! ou **Sei lá !** *J'sais pas! J'en sais rien!*

■ **Ainda**, *encore*, se place à la forme négative devant le verbe :
  Ainda não visitei o Rio . *Je n'ai pas encore visité Rio.*

■ **Quinhentos**, *500*, est l'une des 3 formes étranges des centaines avec **duzentos**, *200* et **trezentos**, *300*. Les autres se forment en accolant le chiffre de l'unité à **–centos** : **quatrocentos**, *400*…

■ **Mesmo**, *même*, sert parfois à insister sur ce que l'on dit :
  É bonito mesmo ! *C'est vraiment beau !*

■ **Pelo** est le résultat de la contraction de **por** (*par, à travers*) et de l'article défini **o** (voir A2) :
  por + o (s) = pelo (s)   **por + a (s) = pela (s)**

  Acabamos de chegar, *nous venons d'arriver* : **acabar**, *finir*.
  Acabar de, *venir de*.

➡ **RAPPELS** : **Gosta**, le présent de l'indicatif des verbes en **–ar** (A7).
  Está viajando, le participe présent (A2).
  Assistiu, le passé simple (A13).
  Vão, présent de l'indicatif de **ir**, *aller* (A10)

A Comment dire en portugais ?   **B Comprendre :**
1. *Je ne connais pas encore Natal.*
2. *Vous parlez français ?*
3. *Je viens d'arriver.*

B Comprendre :
1. **Ainda não chegou.**
2. **É longe mesmo!**
3. **Sei.**

SOLUTIONS

A 1. **Ainda não conheço Natal.**
2. **Fala francês ?**
3. **Acabo de chegar.**

B 1. *Il n'est pas encore arrivé.*
2. *C'est vraiment loin !*
3. *Oui, je sais.*

LE NORDESTE. **O Nordeste**

Pays dans le pays, région où la culture est partout. Berceau du Brésil, c'est là que le brassage culturel est le plus riche.
• Le **sertão**, zone semi-aride de l'intérieur offre, entre autres richesses, des mythes comme celui du **cangaceiro**.
• Les **cangaceiros**, bandits de grands chemins coiffés de bicornes de *cuir* (**couro**), ont commencé à « voler les riches pour donner aux pauvres » *au XIXème siècle* (**no século dezenove**). Leur principaux héros sont **Virgulino Ferreira de Silva** dit **Lampião**, sa compagne **Maria Bonita** et leur bande de 120 **cangaceiros**. Après avoir attaqué les riches *propriétaires terriens* (**fazendeiros**) de la région ils ont été tués par l'armée et leur tête fut coupée en 1938. On retrouve encore leur silhouette dans les figurines de terre typiques du **Nordeste** . **Lampião** est reconnaissable à ses lunettes.

➡ **RETENEZ AUSSI :**
Já, *déjà, tout de suite, immédiatement.*
Já chegou ! *Il est | tu es déjà arrivé | vous êtes déjà arrivés !*
Já foi ! *Il est déjà parti.*
Já vou ! *J'arrive !*
Até já : *à tout de suite, à bientôt, au revoir.*
Já já ! *Immédiatement, aussitôt, sur le champs .*
Já que... *Puisque...*

1 J'ai fait la queue à la boucherie et à la Mairie.

2 Y-a t'il un arrêt d'autobus par ici ?

3 J'aimerais un jus (de fruits), un sandwich et un café.

4 Tu peux me donner la photocopie, l'agrafeuse et le scotch ?

5 L'hotesse de l'air est en train de servir le petit déjeuner.

6 Allô ? Achètes des pansements et des serviettes hygié-
niques.

7 Le chauffeur du camion ne s'est pas arrêté au péage, il
n'a même pas freiné !

8 Dans la vitrine du magasin il y a un costume rouge.

9 La jeune fille prend le tramway pour aller au commissariat de police, elle a perdu sa carte d'identité et son
permis de conduire.

➡ **PRONONCIATION**

Il existe de grandes différences de prononciation entre le portugais du Brésil et le portugais du Portugal, ainsi :
le **-e**, atone, en finale est prononcé comme [**eu**] dans le français
peu, très atténué, voir ne pas être prononcé du tout : **sande**
[**sand**'/**san**deu].
-l, en fin de syllabe ressemble au *l* anglais de *ball* : **Portugal**
[p'tou**gaL**].
-r en fin de syllabe ou double peut être, selon les régions très
fortement roulé ou grasseyé : **servir** [seurr**virr** / seuR**viR**].

1 (Br)Fiz a fila no açougue e na Prefeitura.
  (Port)Fiz a bicha no talho e na Câmara.
2 (Br)Tem um ponto de ônibus por aqui ?
  (Port) Há uma paragem de camionete por aqui ?
3 (Br)Gostaria de um suco, um sanduíche e um cafezinho.
  (Port)Gostava de um sumo, uma sande e um carioca.
4 (Br)Pode me dar o xerox, o grampeador e o durex ?
  (Port)Podes dar-me a fotocopia, a agrafadora e a fita-cola ?
5 (Br)A aeromoça está servindo o café da manhã.
  (Port)A hospedeira de bordo está a servir o pequeno almoço.
6 (Br)Alô ? Compre (você) band-aids e absorvente feminino .
  (Port)Está ? Compra (tu) pensos e penso higiénico.

7 (Br)O motorista do caminhão não parou no pedágio, nem
  freou !
  (Port)O condutor do camião não parou na portagem, nem travou !

8 (Br) Na vitrine da loja de departamentos tem um terno vermelho.
  (Port) Na montra do armazém há um fato encarnado.
9 (Br) A moça pega o bonde para ir à delegacia, perdeu a carteira de identidade e a carteira de motorista.
  (Port)A rapariga apanha o eléctrico para ir à esquadra, perdeu
  o bilhete de identidade e a carta de condução.

➡ **PRONONCIATION**

t ne fait jamais [**tch**], d, jamais [**dj**] : **identidade** [idèntidad']
Au contraire des brésiliens qui rajoutent des voyelles pour éviter les
rencontres de consonne (Br) o **pneu** [ou pinèou], *le pneu* , les portugais
ont tendance à ne pas prononcer les voyelles atones :
(Port) o **ministro** [ou m**nich**trou], *le ministre*.
s en finale [**ch**] : **os bilhetes** [ouch bil**yè**teuch].

Ces deux portugais sont très différents sans constituer deux langues différentes. Quelques unes de ces différences sont :

■ Grammaticales :
– la place des pronoms, très réglementée au Portugal, est plus souple au Brésil : *Je m'appelle…* **chamo-me** (Port), **me chamo** (Br).
– L'usage de **você** au lieu de **tu** : *Tu es* **tu és** (Port), **você é** (Br).
– *être en train de dormir* (Port) **estar a dormir** (Br) **estar dormindo**.
– les possessifs présentent la même forme mais doivent être précédés d'un article défini au Portugal : *mon livre* : **o meu livro** (Port), **meu livro** (Br)

■ Orthographiques :
En portugais du Brésil on écrit que ce qui se prononce :
action : (Port) **acção** [ak**saon**], (Br) **ação** [a**ssaon**]
directeur : (Port) **director** [dirè**torr**], (Br) **diretor** [djirétô**R**]

■ Lexicales : outre les apports indiens, africains et des langues des immigrés, le portugais du Brésil présente nombre de différences avec la langue mère. Certaines peuvent entraîner de sérieux malentendus, en voilà quelques exemples :
o puto (Port) *gamin* (Br) *corrompu, pédéraste…*
a bicha (Port) *file d'attente* (Br) *homosexuel excentrique.*
a rapariga (Port) *jeune fille* (Br) *fille aux moeurs légères*
a galera (Port) *galère* (le navire) (Br) *la bande* (de copains)
o salpicão (Port) *saucisse fumée* (Br) *salade poulet mayonnaise.*
a pica (Port) *injection* (Br) (argot.) *pénis.*
Certains mots ou expressions nouvelles finissent par entrer dans la langue du Portugal par le biais des **telenovelas** (voir A16).

Quelques expressions populaires bien brésiliennes :
virar-se, *se débrouiller* : **me virei**, *je me suis débrouillé* ;
curtir, *profiter, jouir, savourer* : **curtem a festa !** *amusez-vous bien !*
para [pra] caramba, *beaucoup* : **curti para caramba !**, *je me suis beaucoup amusé!*
abrir mão de : *concéder, lâcher* : **não abriu mão de nada** : *il n'a cédé sur rien.*

Les portugais on du mal à se faire à l'idée que l'ancienne colonie fait partie des grandes puissances économiques mondiales et ont tendance à trouver les brésiliens quelque peu « folkloriques », peu sérieux, peu rigoureux. Ils considèrent aussi que la langue des brésiliens est un portugais mal parlé. Les brésiliens eux ne gardent pas de rancune à l'égard des ex-colonisateurs mais ont une tendance à les trouver un peu bêtes et à les prendre pour des têtes de turcs. Dans les classements des *blagues* (**piadas**) figure la catégorie **português**. Les portugais s'appellent tous **Manuel** ou **Joaquim**, pour les hommes, **Maria** pour les femmes. Ainsi :

UNE BLAGUE

Manuel arrumou emprego numa empresa de construção. Um dia, o chefe ordenou :
– Vai lá medir o comprimento daquele mastro do pátio !
Alguns minutos depois, lá está o gajo* com chaves e martelos, tentando arrancar o mastro do chão. Um colega vê aquilo e diz:
– Por que não usa a escada ?
– Pra depois dizerem que nós lusitanos somos burros ? Ele mandou medir o comprimento e não a altura, pá !

Manuel a trouvé un emploi dans la construction, un jour son chef lui ordonne :
• *Vas mesurer la longueur de ce mât qui est dans la cour !*
• *Quelques minutes après, le type essaie avec clefs et marteaux d'arracher le mât du sol. Un collègue voit cela et dit :*
• *Pourquoi ne prends-tu pas une échelle ?*
• *Pour que l'on dise après que les portugais sont des imbéciles ? Il a demandé que je mesure la longueur, pas la hauteur !*

■ **gajo** (port), *le mec, le type*, **o rapaz**, **o cara** (br).

---

1 Bonjour Marcos, ça va ?
  – ça va, merci .

2 Bonjour, comment vas-tu / allez-vous ?
  – Salut !

3 Bonsoir Ana, comment vas-tu / allez-vous / ça va ?
  – Bien, merci

4 de rien
  à votre service

5 Enchanté(e)(de vous connaître)
  Ravi (e)
  J'ai été enchanté (de faire votre connaissance)
  Moi aussi

6 A bientôt !
  A tout de suite !
  A plus !
  Salut !
  A demain !

7 s'il vous plait

8 pardon / permettez moi (autorisation pour
  passer, entrer…)
  excusez moi !
  pardon

9 bien sur
  faites comme chez-vous
  je vous en prie
   il n'y a pas de mal

10 soyez le (la) bien venu(e)
   soyez les bien venu(e)s

Bom dia / obrigado / até logo

1 Bom dia Marcos, tudo bem ? [**bon dji**a ma**R**kous **tou**dou **bèm**]
 – Tudo bem, obrigado. [**tou**dou **bèm** obri**ga**dou]

2 Boa tarde, como está ? [**bo**a ta**R**dji **kó**mou é**ch**ta]
 Ói ! / olá ! [**ói** / o**la**]

3 Boa noite Ana, como vai ? [**bo**a **nói**tchi ana, **kó**mou **vaï**]
 Bem, obrigada [**bèm** obri**ga**da]

4 de nada [dji **na**da]
 às ordens [as **ó**R**dèns**]

5 Muito prazer (em conhecê-lo) [**mou**ito pra**zèR** (**èm** kony**éssé** lou)]
 Muito gosto (em conhecê-lo) [**mou**itou **góch**tou]
 Foi um prazer (conhecê-lo) [**foï** oum pra**zèR** (kony**éssé** lou)]
 Para mim também [**para mim** tam**bèm**]

6 Até logo ! [atè **ló**gou]
 • Até já! [atè **ja**]
 • Até mais ! [atè **maïs**]
 • Tchau ! [**tcha**o]
 • Até amanhã ! [atè ama**nyin**]

7 por favor / se faz favor [pour fa**vôR** / si **faïs** fa**vôR**]

8 com licença [con li**ssèn**sa]

 desculpe [djich**koul**pi]
 perdão [pè**R**daon]

9 claro [**kla**rou]
 fique a vontade [**fi**ké a von**ta**dji]
 pois não [**poïs** naon]
 não faz mal [**naon faïs** maou]

10 seja bem vindo (a) [**sé**ja **bèm vin**dou]
 sejam bem vindo(s) -a(s) [**sé**jaon **bèm vin**dous -a(s)]

■ *Bonjour* : — **bom dia**, jusqu'au déjeuner.
– **boa tarde**, du déjeuner à la nuit.
Bonsoir : — **boa noite**.
Ói! Ola ! sont plus familiers : *salut!*

Comme les questions **Tudo bom ? Tudo bem ?** *ça va ?* n'attendent, en vérité, pas de réponse, elles remplacent parfois le *bonjour*.

Como está ? Como vai ? font partie d'un registre plus soutenu que **tudo bem ?**
Como vai a senhora ? *Comment allez-vous ?* (à une dame)

➡ **RAPPEL** :
merci : **obrigado** quand c'est un homme qui parle.
obrigada quand c'est une femme qui parle.

■ *Au revoir* : **até logo, até já** qui veulent dire mots à mots *à tout de suite*, sont couramment employé dans le strict sens d'*au revoir*. **Tchau** [**tcha**o] est très utilisé.
Adeus, *adieu*, est rare, ressenti comme trop fort.
Excusez-moi : **desculpe** peut être employé pour se disculper, pour s'adresser à quelqu'un, pour interrompre.
Perdão est plus fort.

ATTENTION : **pois não** malgré la présence de la négation signifie *oui, je vous en prie*.
• **Posso sentar aqui ?** *Puis-je m'asseoir ici ?*
• **Pois não !** *Oui.*

➡ **RETENEZ AUSSI**
Feliz natal ! *Joyeux noël !*
Feliz ano novo! *Bonne année!*
Feliz aniversário ! *Bon anniversaire!*
Toute l'année brésilienne est parsemée de « *jour de…* », **dia de…** : **o dia dos professores**, *le jour des professeurs* ; **o dia das secretárias** (*secrétaires*), **dos dentistas** (*dentistes*), **das crianças** (*enfants*), **das mães** (*mères*) **das avós** (*grands-mères*)…

A Comment dire en portugais ?
1. *Pardon, puis-je descendre ?*
2. *Au revoir, à demain.*
3. *Merci* (une femme). *De rien !*

B Comprendre :
1. **Pois não !**
2. **Foi um prazer.**
3. **Boa tarde, como está ?**

SOLUTIONS

A 1. **Com licença, posso descer ?**
2. **Tchau, até amanhã.**
3. **Obrigada. De nada.**

B 1. *Oui / je vous en prie.*
2. *J'ai été enchanté.*
3. *Bonjour comment vas-tu ?*

Les règles de la politesses au Brésil n'imposent pas de demander **por favor** (*s'il vous plaît*) ou de *remercier* (**agradecer**), **obrigado / obrigada**, *merci*, quelqu'un qui fait sont travail, comme, par exemple, *un serveur* (**um garçom / um moço**).

Les brésiliens ont l'habitude, plus que de se serrer la main, de *pratiquer l'accolade* (**abraçar-se**). Généralement ils se donnent *la main droite* (**a mão direita**) et se serrent en tapotant l'épaule de l'autre avec *la main gauche* (**a mão esquerda**). *L'accolade* (**o abraço**) et le petit tapotement sur le dos devient le bruit caractéristique des lieux où l'on se quitte ou on se retrouve: *aéroports* (**aeroportos**), *gares routières* (**rodoviárias**).
« **Abraços** » peut terminer *une lettre* (**uma carta**) amicale.
Attention : *donner un baiser* se dit **beijar-se** ; *le baiser* : **o beijo**.
La grande affectivité des brésiliens leur fait fréquemment ajouter à ce mot un suffixe augmentatif : **um beijão** (*grosse bise*), **beijões** (*grosses bises*).

A saudade, « *la nostalgie* » : est un sentiment importé par les portugais, on le ressent quand on est loin de son pays, de ceux qu'on aime, quand on évoque de bons souvenirs :
Que saudade de você ! *Comme tu m'a manqué ! Que tu me manques !*
Vou ter saudade daqui ! *Je vais être nostalgique d'ici !*
Que saudade ! Quanta saudade !

l'eau minérale	**a água mineral**	[a **a**goua min**é**raou]
sans gaz /gazeuse	**sem gaz / com gaz**	[**sèm** gaïs / con gaïs]
les sodas	**os refrigerantes**	[ous réfrigé**ran**tchis]
l'eau de noix de coco	**a água de coco**	[a agoua dji **kó**kou]
le jus de fruit	**o suco de fruta**	[ou **sou**ko dji **frou**ta]
l'orange	**a laranja**	[a la**ran**ja]
l'ananas	**o abacaxi / o ananás**	[o abaka**chi** / ou ana**naïs**]
le citron	**o limão**	[ou li**maon**]
la goiave	**a goiaba**	[a go**ya**ba]
la fraise	**o morango**	[ou mo**ran**gou]
la mangue	**a manga**	[a **man**ga]
la pastèque	**a melancia**	[a mé**lan**sia]
la papaye	**o mamão**	[ou ma**maon**]
la pomme	**a maçã**	[a ma**ssin**]
la poire	**a pêra**	[a **pé**ra]
la prune	**a ameixa**	[a a**méï**cha]
le raisin	**a uva**	[a **ou**va]
avec / sans glace	**com / sem gelo**	[**con** / **sèm** jè**lou**}
avec / sans sucre	**om / sem açúcar**	[**con** / **sèm** assou**kar**]
sucre artificiel	**adoçante**	[ado**ssan**tchi]

la bière **a cerveja**		[a sèR**vé**ja]
la bière pression **o chope**		[ou **chó**pi]
frais / fraîche **gelado / gelada**		[jé**la**dou / jé**la**da]

le vin rouge **o vinho tinto**		[ou **vi**nyou **tchin**tou]
le vin blanc **o vinho branco**		[ou **vi**nyou **bran**kou]

o guaraná [ou gouara**na**] est un soda à base d'une plante.
o caldo de cana [ou **ka**oudou dji **ka**na] *suc de canne à sucre.*
o maté [ou ma**té**] est une infusion typique, très prisée dans le sud, on utilise des ustensiles spécifiques pour la déguster.

Attention de bien prononcer [**kó**kou], *coco* avec la voix portée bien fortement sur la première syllabe car prononcé à la française (accent sur la dernière syllabe) ce mot devient synonyme d'excrément !

A Comprenez :
1. **Não tem água de coco.**
2. **Açúcar ou adoçante ?**
3. **Com gelo e limão ?**

B Comment dire en portugais :
1. *Je voudrais une bière pression.*
2. *Un jus d'oranges sans glace.*
3. *Une bière bien fraîche.*

SOLUTIONS

A 1. *Il n'y a pas d'eau de coco.*
2. *Sucre ou sucre artificiel ?*
3. *Avec glaçons et citron ?*

B 1. **Queria um chope.**
2. **Um suco de laranja sem gelo.**
3. **Uma cerveja bem gelada.**

LES BOISSONS. **As bebidas**

• Parmi les boissons typiques il faut citer le café qui déçoit beaucoup les amateurs de café italien. Très léger, servi dans des petites *tasses* (**xícaras**) [**chí**karas] : **o cafezinho**, *le petit café* est offert tout au long de la journée même dans les supermarchés et certaines administrations. On peut lui préférer *l'expresso* (**o expresso**) plus fort et plus savoureux.

• L'autre boisson fétiche est la *bière* (**cerveja**), légère, elle est toujours bue *glacée* (**gelada**). Elle est servie en *bouteille* (**garrafa**) de 600 ml, plus rarement en *boite* (**lata**) de 330 *ml* [**èmi èli**]ou en petites bouteilles (**long neck**) et aussi, à la *pression* (**chope**) en verre.

• La **cachaça**, *eau de vie* de canne à sucre peut être consommée pure mais elle est surtout appréciée dans des cocktails comme la **caïpirinha** (**cachaça**, citron vert, sucre) ou les **batidas** (**cachaça** mélangée avec un jus de fruits). Très populaire, les brésiliens qui ont les moyens lui préfèrent la vodka [**vód**jika], la **caïpirinha** s'appelle alors **caïpiroska**.

• *L'eau* (**a água**) *plate* (**natural** / **sem gaz**) ou *avec gaz* (**com gaz**) fait peu d'adeptes, les brésiliens consomment beaucoup de *sodas* (**refrigerantes**) les plus prisés étant la grande marque nord-américaine suivie de près par le **guaraná** (du nom d'une plante amazonienne qui entrerait dans sa composition).

• Le sud du Brésil produit des *vins* (**vinhos**) honorables qui, malheureusement, supportent mal les transports et donc difficilement consommable dans le reste du pays. Le vin demeure une boisson de l'élite sociale qui préfère les crus *argentins* (**argentinos**), *chiliens* (**chilenos**) et *français* (**franceses**).

j'ai faim	**estou com fome**	[éch**to-ou** con **fo**mi]
j'ai soif	**estou com sede**	[éch**to-ou** con **sè**dji]
les repas	**as refeições**	[as réféi**sson-**is]
le petit déjeuner	**o café da manhã**	[ou ka**fè** da ma**nyin**]
le déjeuner	**o almoço**	[ou aou**mó**ssou]
le goûter / le casse croûte	**o lanche***	[ou **lan**chi]
le dîner	**o jantar**	[ou jan**taR**]
la table	**a mesa**	[a **mè**za]
la chaise	**a cadeira**	[a ka**déï**ra]
l'assiette	**o prato**	[ou **pra**tou]
la fourchette	**o garfo**	[ou **gaR**fou]
le couteau	**a faca**	[a **fa**ka]
la cuillère	**a colher**	[a ko**lyéR**]
le verre	**o copo**	[ou **kó**pou]
la serviette	**o guardanapo**	[ou gouaRda**na**pou]
le menu	**o cardápio /o menu**	[ou kaR**da**pyou / ou mé**nou**]
les entrées	**as entradas**	[as èn**tra**das]
les plats	**os pratos**	[ous **pra**tous]
les desserts	**as sobremesas**	[as sobré**mè**zas]
la viande	**a carne**	[a **kaR**ni]
de bœuf	**de boi / de rés**	[dji **bóï** / dji **réï**s]
de porc	**de porco**	[dji **póR**kou]
de veau	**de vitela**	[dji vi**tè**la]
de mouton	**de carneiro**	[dji kaR**néï**rou]
du poulet	**frango**	[**fran**gou]
de la dinde	**peru**	[**pé**rou]
du jambon	**presunto**	[pré**zoun**tou]
des saucisses	**lingüiças**	[lin**goui**ssas]

* le mot : **lanche**, casse croûte, repas sur le pouce vient de l'anglais « lunch ». Du même mot anglais on rencontre les dérivés : **lanchar**, *casser la croûte* et **lanchonete**, petit bar où l'on peut boire et / ou casser la croûte.

A Comment dire en portugais ? :
   1. *Combien coûte le plat de viande ?*
   2. *Avez-vous des desserts ?*
   3. *Où sert-on le petit déjeuner ?*
   4. *Je voudrais une serviette.*

B Comprendre :
   1. **Já escolheu ?**
   2. **(deseja) mais alguma coisa ?**
   3. **Quantas pessoas são ?**
   4. **Esta carne é muito saborosa.**

SOLUTIONS

A 1. **Quanto custa o prato de carne ?**
   2. **Tem sobremesas ?**
   3. **Onde servem o café-da-manhã ?**
   4. **Queria um guardanapo.**

B 1. *Vous avez choisi ?*
   2. *(désirez-vous) autre chose ?*
   3. *Combien êtes-vous ?*
   4. *Cette viande est délicieuse.*

MANGER SUR LE POUCE. **Lanchar**

• La **lanchonete** se présente comme un snack bar, on y mange au *comptoir* (**balcão**) des *sandwichs* (**sanduíches**) chauds type *hamburger* (**hamburguer**), *croque-monsieur* (**misto quente**), froids, au pain de mie (**sanduíche natural**) ainsi que de multiples variantes locales ; on y sert également des **salgadinhos** (m.à m. « *petits salés* »), parmi eux les **quibes** (boulettes de blé farcies de viande ou de poulet d'origine libanaise), les **esfihas** ou **esfirras** (feuilletés fourrés, également d'origine arabe), les **coxinhas**, pâte de chair de *poulet* (**frango**) reconstituée en forme de *cuisse* (**coixa**) et frite, il existe aussi une variante à l'*œuf* (**ovo**), des *boulettes* (**bolinhos**), des **pâtés en croûte** (**recheados**), des *feuilletés* (**folheados**), des **pães de queijo** (petite boule de pâte au fromage de Minas) et les inévitables *pizzas* (**pizzas**).
• Les autres spécialité de ces établissements sont les *jus de fruits* (**sucos de fruta**) *naturels* (**naturais**) ou à base de *pulpe* (**polpa**) congelée.
• La liste des fruits est très longue car le Brésil produit, au sud, des fruits de zones tempérées et ailleurs quantité de fruits tropicaux, sub-tropicaux…. Voir en B1.
Dans la plupart des **lanchonetes** on paie à la caisse avant de passer au comptoir et de commander en présentant son *ticket* (**ficha**).

le poisson	**o peixe**	[ou **péï**chi]
les fruits de mer	**os frutos do mar /**	[ou **frou**tous dou **maR** /
	os mariscos	ous ma**rich**kous]
les crevettes	**os camarões**	[ous kama**ron-is**]
le calamar	**o lula**	[ou **lou**la]
la langouste	**a lagosta**	[a la**góch**ta]
o siri petit crabe typique du brésil		[si**ri**]

les légumes	**os legumes**	[ou lé**gou**mis]
la salade	**a salada**	[a sa**la**da]
de tomates	**de tomates**	[dji to**ma**tchis]
de laitue	**de alface**	[dji aou**fa**ssi]
le concombre	**o pepino**	[ou pé**pi**nou]
le poivron	**o pimentão**	[ou pimèn**taon**]
l'oignon	**a cebola**	[a sé**bo**la]
les pâtes	**as massas**	[as **ma**ssas]
le riz	**o arroz**	[ou a**Róïs**]
les haricots secs	**o feijão**	[ou fê**ijaon**]
a farine (de manioc)	**a farinha (de mandioca)**	[a fa**ri**nya (dji man**djyó**ka)]

| la glace (dessert) | **o sorvete** | [ou só**Rvè**tchi] |
| un gâteau | **um bolo** | [oum **bó**lou] |

les œufs	**os ovos**	[ous **ó**vous]
le pain	**o pão**	[ou **paon**]
les céréales	**as cereais**	[as séré**aïs**]
le lait	**o leite**	[ou **léï**tchi]
la confiture	**a geléia**	[a ge**lèya**]
le miel	**o mel**	[ou **mè**-ou]
le beurre	**a manteiga**	[a man**téï**ga]
le fromage	**o queijo**	[ou **kéï**jou]
le jambon	**o presunto**	[ou pré**zoun**tou]
le café	**o café / o cafezinho**	[ou ka**fè** / ou kafé**zi**nyou]
un thé / une tisane	**um chá**	[oum **cha**]

A Comment dire ?
1. *Je voudrais une salade.*
2. *Qu'avez-vous comme dessert ?*
3. *Qui veut du café ?*

B Comprendre :
1. **Querem arroz e feijão ?**
2. **A lagosta é fresquíssima !**
3. **Café puro ou com leite ?**

SOLUTIONS

A 1. **Queria uma salada.**
2. **O que tem de sobremesa ?**
3. **Quem quer café ?**

B 1. *Voulez-vous du riz et des haricots ?*
2. *La langouste est très fraîche !*
3. *Café noir ou au lait ?*

LES RESTAURANTS À KILO. **Os restaurantes a quilo**

C'est une formule pratique, équilibrée, peu onéreuse et rapide. Le prix du kilo est affiché, il suffit de prendre *une assiette* (**um prato**) et de se servir des différentes *entrées* (**entradas**), *plats chauds* (**pratos**), *accompagnement* (**acompanhamentos**) et *desserts* (**sobremesas**) avant de faire *peser* (**pesar**) son assiettée et de n'en payer que le poids de son contenu.

As churrascarias [chouRachka**ri**as].

Tradition venue des **gauchos**, *vachers du sud*, le **churrasco** équivaut à notre barbecue. Les **churrascarias** sont, généralement, de grandes salles de restaurant où, moyennant un forfait on peut se servir à volonté sur tous les buffets de crudités, *pâtes* (**massas**) en tous genres alors que des serveurs armés de *broches* (**espetos**) passent, en ronde incessante, par les tables en proposant toutes les sortes de *viandes* (**carnes**) qui sont en train de rôtir dans l'âtre c'est ce que l'on appelle **o rodízio**.

La viande (**a carne**) peut être :

assada	[a**ss**ada]	*rôtie*
grelhada	[gre**lya**da]	*grillée*
frita	[**fri**ta]	*frite*
cozida	[ko**zi**da]	*bouillie*
bem passada	[**bèm** pa**ss**ada]	*bien cuite*
mal passada	[**ma**ou pa**ss**ada]	*à point*

91

(A7 et A13)

Les constantes des cuisines brésiliennes sont : les *haricots secs* (**feijões**) de toutes tailles et couleurs, *le riz* (**o arroz**), les indiens eux ont donné l'art de préparer *le manioc* (**a mandioca**). Réduit en *farine* (**farinha**) elle devient :

- **farofa** : farine revenue dans une matière grasse avec ce que les cuisinières veulent bien y ajouter : *aux oignons* (**de cebola**), *aux bananes* (**de banana**), *au choux* (**de couve**)…

- **pirão** : farine mélangée à un liquide, simple **pirão d'água** (*à l'eau*) dans les régions semi-désertiques du **Nordeste**, à base de bouillon de *poissons* (**peixes**) et *crustacés* (**mariscos**) sur les côtes…

– Au **Pantanal**, région d'élevage extensif au réseau fluvial surdimensionné, on cuisine la viande mais surtout de merveilleux poissons d'eau douce aux dimensions parfois impressionnantes comme le **dourado**, le **pacu**, le **pintado**, le **piraputunga** …
  a mojica :　**pintado** en sauce
  a ventrecha : côtes de **pacu** frites servie avec riz, **farofa** de bananes et **pirão**.

– Dans la zone amazonienne, poissons d'eau douce : **tambaqui**, **pirarucu**, **curimatá**…ils sont servis *grillés* (**moqueados**) ou accompagnés de savoureuses *sauces* (**molhos**) faites avec des fruits de la région.
  D'origine indienne est le fameux : **tucupi**, suc de manioc préparée en sauce légèrement amère.
– **pato no tucupi**, *canard au tucupi.*
– **tacacá** : *soupe de **tucupi**,* manioc, *crevettes sèches* (**camarão seco**) et **jambu** ;
– **jambu** plante de consommation courante, elle a pour effet d'anesthésier les lèvres.
– **o maniçoba** : ragoût de viande, saucisses et feuilles de manioc.

Parmi les centaines de fruits amazoniens, les plus appréciées sont : l'**açaí**, connu pour ses vertus énergétiques, et le **cupuaçu**.

– Dans le **Minas Gerais** la gastronomie est plus consistante, elle trouve ses racines dans la cuisine des muletiers qui acheminaient les richesses prélevées dans les mines vers la côte. à sa base, haricots secs, riz, farine de manioc, *choux* (**couve**), *viande de porc* (**carne de porco**) et *saucisses* (**lingüiças**) :
– **tutu à mineira** : sorte de purée de haricot noir, servie avec de la farine de manioc et des saucisses.
– **feijão tropeiro** : mélange de haricots noirs, farine de manioc, saucisses, *lardons frits* (**torresmos**), servi avec de la *sauce à l'oignon* (**molho acebolado**), du choux et du riz.
– **galinha ao molho pardo** : *poule au sang*.
Cette région est très célèbre aussi pour sa production de *fromage* (**queijo**). Le **queijo Minas** est consommé dans tout le pays tout comme les **pães de queijo** (voir.B2) originaires de cette région. Autre grande spécialité du **Minas** est la **cachaça,** *alcool de canne*, on propose même des circuits dégustation.

– A **Bahia** et tout le long de la côte nordestine la gastronomie est marquée par l'Afrique (voir A13) :
– **moqueca** : poissons et ou fruits de mers cuits dans *l'huile de palme* (**dendê**), le *lait de coco* (**leite de coco**), *poivrons* (**pepinos**), *oignons* (**cebola**) et *aromates* (**temperos**).
– **xinxim de galinha** : poulet cuit dans l'huile de palme, lait de coco avec des crevettes sèches, des *cacahouètes* (**amendoins**) et des *noix de cajou* (**castanhas de caju**) et divers aromates.
– **bobó de camarão** : crevettes fraîches cuisinées dans de la purée de manioc avec du lait de coco et du **dendê**.
La gastronomie bahianaise offre une grande variété de desserts, *très sucrés* (**muito doces**) pour nos palais, souvent à base de coco et / ou de *jaune d'œuf* (**gema de ovo**) et sucre, comme les fameux **quinquins**.

ATTENTION : le **cuzcuz** n'a rien à voir avec la spécialité maghrébine, c'est une consistante purée de farine de *maïs* (**milho**) aux crevettes et poissons.
Les **brigadeiros** sont des bouchées à base de lait condensé.
Les **docinhos** sont des bouchées sucrées.
Le **pé-de-moleque** (« *pied de garnement* ») est une gourmandise à base de cacahouètes.

la chambre	**o quarto / o apartamento**	
	[ou koua**R**tou / ou apa**R**ta**mèn**tou]	
salle de bain	**(quarto de)banho**	
	[(**koua**Rtou dji) **ba**nyou]	
simple / double	**solteiro / duplo-casal**	
	[só-ou**téï**rou / **dou**plou-ka**za**ou]	
avec air conditionné	**com ar**	[con a**R**]
réfrigérateur	**geladeira- frigobar**	[jéla**déï**ra / frigo**baR**]
le téléphone	**o telefone**	[o télé**fo**ni]
téléphoner	**telefonar**	[téléfo**naR**]
le lit	**a cama**	[a **ka**ma]
le drap	**o lençol**	[ou lèn**so**-ou]
l'oreiller	**o travesseiro**	[ou tra**vésséï**rou]
la couverture	**o cobertor**	[ou kobè**Rto**R]
la clef	**a chave**	[a **cha**vi]
la douche	**o chuveiro**	[ou chou**véï**rou]
la serviette de bain	**a toalha de banho**	[a to**a**lya dji **ba**nyou]
fonctionner	**funcionar**	[founsyo**naR**]
réserver / la réservation	**reservar / a reserva**	[Ré**zèR**va**R** / a **Ré**zè**R**va]
arriver / arrivée	**chegar / a chegada**	[ché**gaR** / a ché**ga**da]
porter(les bagages)	**carregar(a bagagem)**	[ka**Ré**ga**R** (a ba**ga**jèm)]
remplir le formulaire	**preencher o formulário**	
	[prièn**chèR** ou fo**R**mou**lar**you]	
partir / le départ	**sair / a saída**	[sa-**iR** / a sa**i**da]
annuler	**cancelar**	[kansé**laR**]
verser des arrhes	**deixar um sinal**	[déï**chaR** oum si**na**ou]
payer en avance	**pagar adiantado**	[pa**gaR** adjian**ta**dou]
la note (addition)	**a conta**	[a **kon**ta]
la carte de crédit	**o cartão de crédito**	[ou ka**R**taon dji **krè**djitou]
le prix	**o preço**	[ou **prè**ssou]
le pourboire	**a gorjeta**	[a go**Rj**éta]
la taxe de service	**a taxa de serviço**	[a **ta**cha dji sè**R**vissou]
inclu	**incluído**	[in**klou**idou]
cher / bon marché	**caro / barato**	[**ka**rou / ba**ra**tou]
complet (plein)	**lotado**	[lo**ta**dou]
pension complète	**pensão completa**	[pèn**saon** kom**plè**ta]
demie-pension	**meia-pensão**	[**mèy**a pèn**saon**]
le petit déjeuner	**o café da manhã**	[ou ka**fè** da ma**nyin**]

A Comment dire en portugais :
1. *Je voudrais une chambre double.*
2. *Puis-je payer par carte de crédit ?*
3. *Je dois annuler ma réservation.*

B Comprendre :
1. **O hotel está lotado.**
2. **A taxa de serviço não está incluída.**
3. **Quer uma cama de casal ?**

SOLUTIONS

A 1. **Queria um quarto duplo.**
2. **Posso pagar com cartão ?**
3. **Tenho que cancelar minha reserva.**

B 1. *L'hotel est complet.*
2. *La taxe de service n'est pas incluse.*
3. *Vous voulez un grand lit ?*

Toutes les catégories hôtelières sont représentées au Brésil. Les enseignes du type **Dona x** , *Chez Madame x*, offrent des chambres très simples, voir rudimentaires. **Pensão** ou **albergue** sont des petits hôtels rustiques. Il existe aussi des *auberges de jeunesse*, **albergues de juventude**.

Les catégories supérieures sont classées par étoiles (**estrelas**) qui correspondent grosso modo aux classements européens.

• Très courants au Brésil sont les *résidences hôtelières* (**flat, apart hotel, residencial**) elles offrent des chambres avec *cuisine* (**cozinha**) et *salon* (**sala**). La plupart sont luxueuses. Certaines exigent une durée minimale de séjour, d'autres non.

• La **pousada** désigne aussi bien un établissement de luxe qu'une petite pension rustique. Cette appellation est attribuée aux hébergements dans des maisons anciennes ou authentiques. On peut ainsi se retrouver dans une magnifique *maison coloniale* (**casarão colonial**) aux meubles d'époque ou dans une ferme aménagée simplement pour accueillir des touristes en quête d'authenticité. Dans certaines zones rurales comme le **Pantanal**, la **pousada** est le seul hébergement possible.

• **Attention** : le **motel** n'est pas prévu pour dormir, c'est un établissement situé aux abords des villes qui permet, dans la plus grande discrétion, à des couples légitimes ou non, de s'ébattre dans un espace aménagé à cette fin.

l'argent liquide	o cash	[ou **kach**]
le billet	a nota / a cédula	[a **no**ta / a **sè**doula]
la pièce (de monnaie)	a moeda	[a mo**é**da]
la petite monnaie	o troco	[ou **tro**kou]
la carte de crédit	o cartão de crédito	[ou ka**R**tão dji **krè**djitou]
le chèque	o cheque	[ou **chè**ki]
le chéquier	o talão de cheque	[ou ta**la**on dji **chè**ki]
le chèque de voyage	o cheque de viagem	[ou **chè**ki dji **via**jèm]
changer (de l'argent)	cambiar / trocar	[kam**bya**R / tro**ka**R]
le change	o câmbio	[ou **kam**byou]
la commission	a comissão	[a komi**ssa**on]
combien ?	quanto ?	[**kouan**tou]
la monnaie	a moeda	[a mo**é**da]
l'euro	o euro	[o **é**ourou]
le dollar	o dólar	[ou **dó**laR]
le taux	a taxa	[a **ta**cha]
le cours	a quotação	[a kota**ssa**on]
la hausse / la baisse	a alta / a baixa	[a **a**-outa / a **baï**cha]
la dévaluation	a desvalorização	[a dèchvaloriza**ssa**on]
l'inflation	a inflação	[a infla**ssa**on]
la banque	o banco	[ou **ban**kou]
l'agence	a agência	[a a**jèn**sya]
ouvrir / ouvert	abrir / aberto	[a**bri**R / a**bèR**tou]
fermer / fermé	fechar / fechado	[fé**cha**R / fé**cha**dou]
la caisse	a caixa	[a **kaï**cha]
le caissier	o caixa	[ou **kaï**cha]
compter	contar	[kon**ta**R]
le guichet	o guichê / o balcão	[ou gui**ché** / ou baou**ka**on]
acheter / vendre	comprar / vender	[kom**pra**R / vèn**dè**R]
payer	pagar	[pa**ga**R]
peu / beaucoup	pouco / muito	[**po**-oukou / **moui**tou]
le reçu	o recibo	[ou Ré**ssi**bou]
signer / la signature	assinar / a assinatura	[assi**na**R / a assina**tou**ra]
la sécurité	a segurança	[a ségou**ran**sa]
voler / volé	roubar / roubado	[ro-ou**ba**R / ro-ou**ba**dou]

A Comment dire en portugais ?
1. *A quelle heure ouvre la banque ?*
2. *Je veux vendre des euros.*
3. *Je voudrais de la monnaie.*

B Comprenez :
1. **Abre às dez.**
2. **Dirija-se ao balcão dois.**
3. **Não aceitamos cheques.**

SOLUTIONS

A 1. **A que horas abre o banco ?**
2. **Quero vender euros.**
3. **Queria troco.**

B 1. *Elle ouvre à 10 heures.*
2. *Allez au guichet 2.*
3. *Nous n'acceptons pas les chèques.*

LA MONNAIE. **A moeda.**

• La monnaie brésilienne a souvent changé de nom (**cruzeiro, cruzado, cruzeiro novo**…). Depuis quelques années elle s'appelle **réal** [Réaou] au pluriel **reais** [réaïs]. Cependant *l'économie* (**a economia**) brésilienne demeure très instable, l'inflation regagne du terrain et les taux de change varient considérablement.
• Il est préférable de voyager avec des *euros*, **euros**, [éouros]ou des *dollars*, **dólares**, [dólaris] liquides et des chèques de voyage et d'une carte de crédit. Le change peut être effectué dans des *banques* (**bancos**) ou, à un taux plus intéressant au *change parallèle*, **o paralelo** dans les agences de voyages.

LA SÉCURITÉ, **a segurança**.

La grande pauvreté à laquelle est réduite une grande partie de la population brésilienne a pour conséquence, entre autres, un taux de délinquance très élevé. Cela dit, avec quelques précautions, il n'est pas dangereux de voyager au Brésil, la première étant d' éviter d'exhiber tout signe extérieur de richesse. :
- *bijoux* [**joias**], *montres* [**relógios**]…doivent, avec le gros de l'argent, passeports et billets d'avion rester *dans le coffre* (**no cofre**) de l'hotel.
- sortir avec le minimum d'argent et toujours de la *monnaie* (**troco**) pour éviter d'exhiber de grosses coupures.
- faire comme les brésiliens, aller à la plage avec le minimum vital et de préférence en petit groupe.
- placer les équipements photo dans un sac anodin.
- en cas d'*agression* (**assalto**), il faut donner ce que l'on a…

le téléphone	o telefone	[ou téléfoni]
le téléphone portable	o celular	[ou séloulaR]
la cabine téléphonique	o orelhão*	[ou orélyaon]
la carte de téléphone	o cartão telefônico	[ou kaRtaon téléfônikou]
le jeton	a ficha	[a ficha]
le répondeur	a secretária eletrônica	[a sékrétarya élétrônika]
laisser un message	deixar um recado	[dëïchaR oum Rékadou]
l'annuaire	a lista telefônica	[a lichta téléfônika]
le code	o prefixo	[ou préfiksou]
le numéro	o número	[ou noumérou]
un faux numéro	um número errado	[oum noumérou éRadou]
composer un N°	discar / teclar	[dichkaR / téklaR]
téléphoner	telefonar / ligar	[téléfonaR / ligaR]
on a été coupés !	a linha caiu !	[a linya kayou]
occupé	ocupado	[okoupadou]
ça sonne	está chamando	[échta chamandou]
répondre (au tel.)	atender	[atèndèR]
ne quittez pas !	aguarde na linha !	[agouaRdji na linya]
décrocher	tirar do gancho	[tiraR dou ganchou]
raccrocher	desligar / pôr no gancho	[dèchligaR / pôR nou ganchou]
Quel est votre N°	qual é seu N°	[kouaou è sèou numérou]
appeler en PCV	ligar a cobrar	[ligaR a kobraR]
la poste	os correios	[ous coRèyous]
la lettre	a carta	[a kaRta]
la carte postale	o cartão postal	[ou kaRtaon pochtaou]
l'enveloppe	o envelope	[ou ènvélópi]
un timbre	um selo	[oum sèlou]
la boite à lettres	a caixa do correio	[a kaïcha dou koRèyou]
la boite postale	a caixa postal	[a kaïcha pochtaou]
le colis	a encomenda	[a ènkomènda]
envoyer	enviar / mandar	[ènviaR / mandaR]
recevoir	receber	[réssébéR]
le destinataire	o destinatário	[ou dèchtinataryou]
l'expéditeur	o remetente	[ou Rémétèntchi]

A Comment dire en portugais ?
   1. *Avez-vous un annuaire ?*
   2. *Je voudrais téléphoner.*
   3. *Un timbre pour la France.*

B Comprendre :
   1. **Aguarde um pouco.**
   2. **Pode ligar mais tarde ?**
   3. **O correio fica no centro.**

SOLUTIONS

A 1. **Tem una lista telefônica ?**
     2. **Queria telefonar.**
     3. **Um selo para a França.**

B 1. *Attendez un peu.*
     2. *Pouvez-vous rappeler plus tard ?*
     3. *La poste est dans le centre.*

• **O orelhão** « *la grosse oreille* » c'est le nom donné aux cabines téléphoniques à cause de leur forme évocatrice. Cela dit leurs aspects peuvent considérablement varier : aras, en zone de forêt, dauphins au bord de la mer, chaudrons ou toques de cuisiniers dans les zones gastronomiques…
• Le téléphone a été en partie privatisé. Les compagnies changent selon les Etats, elles ont des *codes* (**prefixos**) différents, certaines sont spécialisées en *appels locaux* (**chamadas locais**), *inter-états* (**interestaduais, DDD**) ou internationaux (**internacionais DDI**) et leurs prix varient.
• *Le téléphone portable* (**o celular**) connaît le même essor que dans le reste du monde.
• Le taux d'informatisation au Brésil est supérieur à celui de l'Europe. Dés que les brésiliens en ont les moyens ils possèdent au moins un *ordinateur* (**computador**) et, par *câble* (**cabo**) ou ADSL ils sont *connectés* (**conectados**) à internet. Les *cybercafés* (**cibercafés**) sont très répandus dans toutes les grandes villes.
• Pour exprimer les *codes téléphoniques* (**prefixos**) ou postaux (**CEP : Código de Endereçamento Postal**), on énonce généralement les chiffres un par un, parfois par dizaines, ex : 236 24 11 **dois**, **três**, **meia**, **cinqüenta e quatro** ou **cinco**, **quatro**, **onze** ou **um, um**.
REMARQUEZ l'emploi de **meia** (*demi*, vient de **meia dúzia**, *demi-douzaine*) à la place de 6 (**seis**).

voyager / faire un voyage	**viajar**	[vyajaR]
un voyage	**uma viagem**	[ouma **vya**jèm]
prendre (un moyen de transport)	**pegar**	[pé**ga**R]
partir / le départ	**sair / a saída**	[saiR / a saida]
arriver / l'arrivée	**chegar / a chegada**	[ché**ga**R / a ché**ga**da]
le billet	**a passagem**	[a pa**ssa**jèm]
le siège	**a poltrona / o assento**	
	[a po-ou**tro**na / ou a**ssèn**tou]]	
les bagages	**a bagagem**	[a ba**ga**jèm]
complet	**lotado**	[lo**ta**dou]
une place disponible	**uma vaga**	[**ou**ma **va**ga]
en avance / en retard	**adiantado / atrazado**	
	[adji**an**tadou / atra**za**dou]	
la durée	**a duração**	[a dou**ra**ssaon]
en provenance de	**procediente de**	[pro**cé**djyèntchi dji]
a destination de	**com destino a**	[com dèch**tchi**nou a]
l'avion	**o avião**	[ou a**vya**on]
l'aéroport	**o aeroporto**	[ou aéro**pó**Rtou]
la compagnie aérienne	**a companhia aérea**	[a kom**pa**nyia a**è**réa]
la carte d'embarquement	**o cartão de embarque**	
	[ou ka**R**taon dji èm**ba**Rké]	
un vol intérieur	**um vôo doméstico**	
	[oum **vo**-ou do**mèch**tikou]	
le couloir	**o corredor**	[ou koRé**dô**R]
le hublot	**a janela**	[a ja**nè**la]
La taxa d'embarquement	**a taxa de embarque**	[a **ta**cha dji èm**ba**Rki]
l'équipage	**a tripulação**	[a tripou**la**ssaon]
mettre sa ceinture	**apertar o cinto**	[apè**R**taR ou **sin**tou]
non fumeur	**náo fumante**	[naon fou**man**tchi]
le décollage	**a decolagem**	[a déko**la**jèm]
l'atterrissage	**o pouso / a aterrissagem**	
	[ou **po-ou**zou / a atéRi**ssa**jèm]	
l'autocar	**o ônibus**	[ou **ô**nibous]
la gare routière	**a estação rodoviária**	
	[a èchta**ssa**on Rodovyarya]	
le quai	**a plataforma**	[a plata**fó**Rma]
le train	**o trem**	[ou **trè**m]

A Comment dire en portugais ?
1. *Je veux trois billets pour São Luis do Maranhão.*
2. *A quelles heures y-a t'il des bus pour São Paulo ?*
3. *Combien de temps dure le voyage ?*

B Comprendre :
1. **O vôo atrazou meia hora.**   2. **Quer sair hoje ou amanhã ?**

3. **Sai plataforma cinco.**   4. **O vôo está lotado.**

SOLUTIONS

A 1. **Quero três passagens para São Luis do Maranhão.**
2. **A que horas tem ônibus para São Paulo.**
3. **Qual é a duração da viagem ?**

B 1. *Le vol a une demi-heure de retard.*
2. *Voulez-vous partir aujourd'hui ou demain ?*
3. *Il part du quai 5.*   4. *le vol est complet.*

LES TRANSPORTS INTERURBAINS.

Os transportes interurbanos.
Compte tenu des dimensions du pays (Par ex.**Belém** est à 3400 km de **Rio**), il est nécessaire de faire des choix avant le départ : visiter un maximum de régions en quelques semaines, dans ce cas il faut envisager de circuler en avion et encore car, parfois les trajets en avion peuvent prendre beaucoup de temps compte-tenu des *escales* (**escalas**) et des attentes, ou se concentrer sur une zone géographique plus restreinte pour pouvoir circuler en bus.
Le train (**o trem**) ne constitue pas ce que nous pouvons appeler *un réseau ferroviaire* (**uma rede ferroviária**), ce *moyen de transport* (**meio de transporte**) est très restreint et vétuste pour le transport de passagers.
Etrangement il n'y a pas de lignes de *bateaux* (**barcos**) pour relier les villes côtières, par contre, en Amazonie le bateau est souvent le seul moyen de circuler.
Le transport en autocar est extrêmement développé dans toutes les régions. Dans les *gares routières* (**rodoviárias**), des compagnies *privées* (**particulares**) vous acheminent vers toutes *les destinations* (**os destinos**) à divers degrés de confort selon le prix qu'on y consacre. Pour la durée, on multiplie généralement le nombre de kilomètres par deux : 1000km = 20 heures.

l'immeuble / le bâtiment	**o prédio**	[ou **prè**dyou]
la rue	**a rua**	[a **Rou**a]
l'avenue	**a avenida**	[a avé**ni**da]
la mairie	**a prefeitura**	[a préféï**tou**ra]
l'école	**a escola**	[a èch**ko**la]
la poste	**o correio**	[ou ko**Rè**you]
la gare (routière)	**a rodoviária**	[a Rodo**vya**rya]
l'église	**a igreja**	[a i**grè**ja]
la cathédrale	**a sé**	[a **sè**]
le commissariat de police	**a delegacia**	[a délé**ga**ssia]
le jardin public	**o parque**	[ou pa**R**ki]
le garage	**o estacionamento**	
	[ou échtasyona**mèn**tou]	
se garer	**estacionar**	[échtasyo**naR**]
l'amende / le PV	**a multa**	[a **moul**ta]
l'embouteillage	**o engarrafamento**	
	[ou ènga**R**afa**mèn**tou]	
la circulation	**o trânsito**	[ou **tran**zitou]
le bus	**o ônibus**	[ou **ô**nibous]
l'arrêt de bus	**o ponto de ônibus**	
	[ou **pon**tou dji **ô**nibous]	
le métro	**o metrô**	[ou mé**trô**]
le tramway	**o bonde**	[ou **bon**dji]
le plan incliné	**o plano inclinado**	
	[ou **pla**nou inkli**na**dou]	
l'ascenseur	**o elevador**	[ou élèva**dôR**]
le taxi	**o taxi**	[ou **tak**si]
prendre (un transport)	**pegar**	[pé**gaR**]
descendre (d'un transport)	**saltar**	[**sa**ou**taR**]
le carrefour	**o cruzamento**	[ou krouza**mèn**tou]
le feu rouge / vert	**o sinal fechado / aberto**	
	[**fé**cha**dou** / a**bèR**tou]	
le panneau (routier)	**a placa**	[a **pla**ka]
le piéton	**o transeunte**	[ou tranzé**oun**tchi]
le centre ville	**o centro da cidade**	
	[ou **sèn**trou da si**da**dji]	
le sens interdit	**a mão única**	[a **maon ou**nika]
travaux	**obras**	[**o**bras]
l'agent de police	**o guarda**	[ou goua**R**da]
la banlieue	**subúrbio**	[ou sou**bouR**byou]
le bâteau	**o barco**	[ou **baR**kou]
le quai	**o cais**	[ou **ka**ïs]

A Comment dire en portugais
1. *Quel bus va au centre ?*
2. *Où est l'arrêt du 111 ?*
3. *Combien coûte le billet ?*

B Comprendre :
1. **Pegue o bonde, é mais rápido.**
2. **Salte na Lapa.**
3. **Não estacione aqui !**

SOLUTIONS

A 1. **Qual ônibus vai ao centro.**
2. **Onde fica o ponto do cento e onze ?**
3. **Quanto custa a passagem ?**

B 1. *Prenez le tram, c'est plus rapide.*
2. *Descendez à Lapa.*
3. *Ne stationnez pas ici !*

AS FAVELAS

• *Les bidonvilles* de **Rio** ont été immortalisés par le très romantique film **Orfeu Negro**. Mais les **favelas** ont beaucoup changé et c'est aujourd'hui plutôt le film **Cidade de Deus** qui en révélerait la tragique et violente réalité.

• Les **favelas** ne sont pas des curiosités touristiques, ce sont des lieux où les pauvres tentent de survivre entre manque d'hygiène, étroitesse des lieux, misère, chômage et aussi, *tueries* (**chacinas**), *échanges de coups de feu* (**tiroteios**), pressions de la police et des trafiquants de drogues qui en ont fait leur domaine.

• Pauvres et migrants (principalement du **Nordeste**) essaient de fuir la misère des campagnes en allant vers les villes. Le seul moyen de se loger est d'occuper un terrain vide, de préférence près des usines ou autres lieux de travail, ainsi naît le bidonville : zones industrielles, berges de rivières, bords de routes, de planches, de briques les favelas ne cessent de s'étendre, et quand il n'y a pas de place sur terre, on les construit sur pilotis. A **Rio**, les favelas se sont enracinées sur les sommets granitiques, les *mornes* (**os morros**) qui hérissent la ville, c'est à dire en plein centre-ville, au dessus, à côté des quartiers les plus chics, avec une vue imprenable sur la ville. Elles sont de véritables villes dans la ville, la **favela** de **Rocinho**, à Rio, compte plus de 200 000 habitants.

Mais il y a plus pauvres que les **favelados**, ceux qui trouvent refuge sous les ponts d'autoroutes, dans les piliers des viaducs…

Remarquez : le nom de la plupart des écoles de samba est celui de la favela où elle a été créée : **Vila Isabel**, **Mangueira**… C'est que **o samba nasceu no morro**, *la samba est née sur le morne.*

s'habiller	**vestir-se**	[véchti**R**-si]
se déshabiller	**despir-se**	[déch**pi**R-si]
mettre	**vestir**	[véchti**R**]
enlever	**tirar**	[tchira**R**]
essayer	**experimentar/ provar**	
	[échpérimèn**ta**R / pro**va**R]	
se changer	**mudar de roupa**	
	[mou**da**R dji **rô-ou**pa]	
être à la mode	**estar na moda**	[éch**ta**R na **mo**da]
ne pa être à la mode	**estar fora de moda**	
	[éch**ta**R **fo**ra dji **mo**da]	
se froisser	**amassar**	[ama**ssa**R]
le maillot de bain (1 pièce)	**o maiô**	[ou ma**yô**]
le bikini	**o biquíni**	[ou bi**ki**ni]
le tee-shirt	**a camiseta**	[a kami**zè**ta]
la chemise	**a camisa**	[a ka**mi**za]
le chemisier	**a blusa**	[a **blou**za]
le short	**o short**	[ou **chó**Rtchi]
le bermuda	**a bermuda**	[a bè**Rmou**da]
les pantalons	**as calças**	[as **ka**oussas]
la jupe	**a saia**	[a **sa**ya]
la robe	**o vestido**	[ou vèch**tchi**dou]
les tongs	**as havaianas / os chinelos**	
	[as ava**ya**nas / ous chi**né**lous]	
les chaussures	**os sapatos**	[ous sa**pa**tous]
les tennis	**os tênis**	[ous **té**nis]
les chaussettes	**as meias**	[as **mè**yas]
uni	**liso**	[**li**zou] / imprimé
	estampado	[échtam**pa**dou]
rayé	**às riscas**	[as **Rich**kas]
à pois	**às bolas**	[as **bó**las]
à carreaux	**aos quadrados**	[**a**ous koua**dra**dous]
en coton	**de algodão**	[dji aougo**daon**]
en lin	**de linho**	[dji **li**nyou]
le cuir	**o couro**	[ou **ko**-ourou]
la taille / la mesure / la pointure		
	o tamanho	[ou ta**ma**nyou]
serré	**apertado**	[apè**Rta**dou]
long	**compido**	[kom**pri**dou]
large	**amplo / largo**	[**am**plou / **la**Rgou]
court	**curto**	[**kou**Rtou]

A Comment dire en portugais ?
1. *Je voudrais ce tee-shirt bleu.*
2. *C'est trop serré.*
3. *Je préfère ce pantalon.*

B Comprendre :
1. **Quer experimentar ?**
2. **Qual é seu tamanho ?**
3. **Este modelo é lindo.**

SOLUTIONS

A 1. **Queria esta camiseta azul**.
2. **É apertado demais.**
3. **Prefiro essas calças.**

B 1. *Vous voulez essayer ?*
2. *Quelle est votre taille/pointure ?*
3. *Ce modèle est très beau.*

BIKINI OU MAILLOT ? **Biquini ou maiô ?**

La plage (**a praia**) est une institution pour tous les brésiliens de la côte. Le dimanche matin, dans certaines villes, les bus ne desservent que le sens ville-plage et le soir, le contraire. Tous s'y retrouvent, en un rendez-vous non dit mais localisé, à **Rio** près de tel ou tel *poste de secours* (**posto**), à Salvador, aux environs de telle ou telle *baraque* (**barraca**) où l'on vend de la nourriture. Chacun y a ses habitudes : *chaises de plage* (**cadeiras**), *parassols* (**guarda-sóis**), *thermos* (**isopôr**) pour garder sa petite bière *bien fraîche* (**geladinha**)… les plus pauvres apportent de quoi manger, on les appelle avec mépris les **farofeiros** (*ceux qui apportent la farine de manioc*). Les autres n'auront que l'embarras du choix entre les baraques et les marchands ambulants qui en une ronde incessante proposent de tout : *fromage* (**queijo**) grillé sur un petit brasero, *coquilles de crabe* (**casquinhas de siri**), *noix de coco* (**coco**), *esquimaux* (**picolés**), *glaces* et *sorbets* (**sorvetes**), *bière* (**cerveja**), *caïpirinha* et autres cocktails, *lunettes de soleils* (**óculos**), *crème solaire* (**protetor**, **bronzeador**) robes, *nappes* (**toalhas de mesa**), *barbes à papa* (**algodão doce**)…cette liste est infinie.
La plage est un art de vivre et comme les brésiliens y passent des journées entières à boire, manger, discuter, se montrer, *draguer* (**paquerar**) mais aussi à pratiquer toutes sortes de sports.

Attention : si les bikinis très échancrés (**tangas** ou **fio dental** « *fil dentaire* ») permettent d'admirer les parties charnues (**o bumbum**) de prédilection des brésiliens, on ne peut pas pratiquer le monokini, les seins sont tabous. A **Rio** en 2002, ce fut une véritable révolution quand quelques femmes ont revendiqué cette impudeur.

le magasin / la boutique	**a loja/ a butique**	[a **ló**ja / a bou**ti**ki]
un grand magasin	uma loja de departamentos	
	[**ou**ma **ló**ja dji dépaRta**mèn**tous]	
le centre commercial	**o shopping**	[ou **chó**ping]
vendre / acheter	**vender / comprar**	[vèn**dèR** / kom**praR**]
le vendeur	**o vendedor**	[ou vèndé**dôR**]
la vendeuse	**a vendedora**	[a vènde**dó**ra]
Que désirez-vous ?	**Que deseja ?**	[ki dé**zé**ja]
Désirez-vous autre chose ?	**Mais alguma coisa ?**	[maïs **aou**gouma **kóï**za]
Pouvez-vous vous occuper de moi ?		
	Pode me atender ?	[**pó**dji mi atèn**dèR**]
On s'occupe de vous ?	**Já está atendido ?**	[ja **éch**ta atèn**dji**dou]
une réduction	**um desconto**	[oum déch**kon**tou]
C'est combien ?	**Quanto é ? / Quanto custa ?**	
	[**kouan**tou è / **kouan**to **kouch**ta]	
le prix	**o preço**	[ou **près**sou]
C'est cher / bon marché	**é caro / barato**	[è **ka**rou / ba**ra**tou]
dépenser	**gastar**	[gach**taR**]
l'argent liquide	**cash**	[**kè**chi]
ça fait ...	**dá ...**	[**da**]
acceptez-vous ?	**aceita ?**	[a**sséï**ta]
la carte de crédit	**o cartão de crédito**	[ou ka**Rtaon** dji **kré**djitou]
Au comptant	**à vista**	[a **vich**ta]
A crédit	**a prazo**	[a **pra**zou]
la traite	**a prestação**	[a prèchta**ssaon**]
un billet	**uma nota / uma cédula**	
	[**ou**ma **nó**ta / **ou**ma **sè**doula]	
une pièce	**uma moeda**	[**ou**ma mo**é**da]
de la monnaie	**troco**	[**tró**kou]
passer une commande	**encomendar**	[ènko**mèn**daR]
livrer / la livraison	**entregar / a entrega**	[èntré**gaR** / a èn**tré**ga]
d'occasion	**de segunda mão / usado**	
	[dji sé**goun**da **maon** / ou**za**dou]	
le pourcentage	**a percentagem**	[a pèRsèn**ta**jèm]
les soldes	**liquidações**	[likouida**sson-is**]

A Comment dire en portugais
1. *Vous pouvez livrer ?*
2. *Quel est le prix de cela ?*

B Comprendre :
1. **Não tem troco ?**
2. **Quer mais alguma coisa ?**

SOLUTIONS

A 1. **Pode entregar ?**
2. **Qual é o preço disto ?**

B 1. *Vous n'avez pas de monnaie ?*
2. *Désirez-vous autre chose ?*

• A part les objets artisanaux, les *pierres semi-précieuses* (**pedras semi-preciosas**) et autres *hamacs* (**redes**) on peut acheter des *disques* (**CD** [**cédé**]), *cassettes* (**fitas**) de musique brésilienne. Métis de tant de cultures, le Brésil qui bénéficie de tant de *rythmes* (**ritmos**) et d'instruments de musique fait preuve d'une créativité musicale inouïe, et on en trouve pour tous les goûts. La musique brésilienne est classée sous le sigle **MPB** (**Música Popular Brasileira**).

• Dans les années 60, **A Garota de Ipanema** de Tom Jobim (compositeur) et Vinícius de Morais (poète-diplomate) fait connaître la **bossa nova** au monde entier. João Gilberto, Astrude et Stan Gets en seront aussi de grands ambassadeurs. Mélange de samba et jazz, née dans les salons bourgeois de Rio, elle deviendra vite populaire.

Sous la Dictature, en 68, apparaît le mouvement *Tropicaliste* (**Tropicalista**) qui mêle rythmes latinos, brésiliens et rock. Ses grands noms sont Caetano Veloso, Gal Costa, Gilberto Gil, Rita Lee…).

Tous ces grands continuent d'évoluer et de produire.

• A São Paulo la créativité est plus influencée par l'Amérique du Nord : rock brésilien, Rita Lee, Legião Urbana, Titãs.., rap…

• Au Nordeste du littoral on mêle tambours africains et reggae, c'est la musique Axé : Reflexus, Chiclete com Banana… L'intérieur du Nordeste donne aussi de grands nom comme Luiz Gonzaga, Alceu Valença…

Milton Nascimento est inclassable.

Chico Buarque de Holanda est un immense auteur-compositeur-interprète qui a exploré tous les styles avec des textes éternels.

être en bonne santé	**estar em boa saúde**	[échtaR èm **bo**a sa**ou**dji]
être malade	**estar doente**	[échtaR do**è**ntchi]
je me sens mal	**me sinto mal**	[mi **sin**tou **ma**-ou]
un accident	**um acidente**	[oum assi**dè**ntchi]
blesser / blessé	**ferir / ferido**	[fé**ri**R / fé**ri**dou]
la maladie	**a doença**	[a do**è**nsa]
être allergique à	**ser alérgico a**	[sèR a**lè**Rjikou a]
soigner	**curar**	[kou**ra**R]
guérir	**sarar**	[sa**ra**R]
s'évanouir	**desmaiar**	[dèchmaya**R**]
tousser	**tosser**	[to**ssè**R]
vomir	**vomitar**	[vomi**ta**R]
ça fait mal	**dói**	[**dóï**]
avoir des frissons	**ter arrepios**	[té**R** a**Ré**pious]
avoir la nausée	**estar enjoado**	[échtaR è**n**joadou]
avoir	**estar com**	[échtaR con]
- de la fièvre	**estar com febre**	[échtaR con **fè**bri]
- la diarrhée	**estar com diarréia**	[échtaR con dja**Rè**ya]
- la grippe	**estar com gripe**	[échtaR con **gri**pi]
- un rhume	**estar com um resfriado**	
	[échtaR con oum rèchfriya**dou**]	
- une migraine	**uma enchaqueca**	[ènchaké**ka**]
avoir mal à	**estar com dor de**	[échtaR con **do**R dji]
. la tête	**de cabeça**	[dji ka**bé**ssa]
. de ventre	**de barriga**	[de ba**Ri**ga]
. de dent	**de dente**	[dji **dè**ntchi]
le dentiste	**o dentista**	[ou dèn**tchich**ta]
le médecin	**o médico**	[ou **mé**djikou]
le cabinet (de consultation)		
	o consultório	[ou konsoul**tó**ryou]
une infirmière	**uma enfermeira**	[ouma ènfèR**méï**ra]
l'hôpital	**o hospital**	[ou óchpi**tao**u]
l'ambulance	**a ambulância**	[a ambou**lan**sya]
c'est une urgence	**é uma emergência**	[è ouma émèR**jèn**sya]
l'ordonnance	**a receita**	[a ré**sséï**ta]
le médicament	**o remédio**	[ou Ré**mè**dyou]
la pharmacie	**a farmácia**	[a faR**ma**ssya]
l'injection	**a injeição**	[a injéi**ssão**]
l'opération	**a cirurgia**	[a sirou**Rji**a]
un pansement	**um curativo**	[oum koura**tchi**vou]

A Comment dire en portugais ?
  1. *J'ai la nausée.*

  2. *Je suis allergique à...*

B Comprendre :
  1. **Tem que fazer um curativo.**
  2. **Está ferido ?**

SOLUTIONS

A 1. **Estou enjoado (-a)**
   2. **Sou alérgico (-a) a...**

B 1. *Il faut faire un pansement.*
   2. *Vous êtes blessé ?*

Le système médical Brésilien

• Contrairement à certains préjugés, on peut, au Brésil, parfaitement se faire soigner, avec des équipements de pointe, par des médecins hautement qualifiés. Mais, le plus souvent, ces bonnes conditions ne sont réunies que dans le secteur *privé* (**particular**), particulièrement onéreux.

• Il existe un système de sécurité sociale (**INSS, Instituto Nacional de Seguro Social**, *Institut National de Sécurité Sociale*) et **SUS, Sistema Único de Saúde**, *Système Unique de Santé)* dont les cotisations sont équivalentes à celles de la France mais le système est différent : on ne paie pas, le remboursement n'existe pas, on a donc pas le choix de son praticien ; si les *médicaments* (**remédios**) n'ont pas été livrés dans les pharmacies de la sécurité sociale, il faudra les acheter et ils sont très chers. Le secteur public est, généralement, dans une situation dramatique : *queues* (**filas**) de plusieurs heures pour *une consultation* (**uma consulta**), des mois d'*attente* (**espera**) pour obtenir un rendez-vous avec *un spécialiste* (**um especialista**), médicaments manquants, personnels mal rémunérés et débordés…En fait, seuls les plus pauvre y font appel.

• Les autres, ceux qui peuvent payer, contractent *une assurance privée* (**um plano de saúde**). Cette assurance représente une grosse dépense dans un budget familial. La première question qui est posée pour rentrer dans *une clinique* (**uma clínica**) ou *prendre un rendez-vous* (**marcar**) chez un médecin est de savoir *quelle assurance* (**qual plano de saude ?**) et, selon le montant de rémunération qu'elle offre aux praticiens, on aura accès à tels ou tels types de soins ou à des rendez-vous plus ou moins rapides.
Pour les touristes, il est bon d'avoir une bonne assurance rapatriement, c'est elle qui vous orientera vers des établissements hospitaliers ou des médecins avec lesquels ils ont des accords.

la tête	**a cabeça**	[a ka**bé**ssa]
le visage	**o rosto / a cara**	[ou **róch**tou / a **ka**ra]
les cheveux	**os cabelos**	[ous ka**bé**lous]
les sourcils	**as sobrancelhas**	[as sobran**sél**yas]
les yeux	**os olhos**	[os **ól**yous]
les cils	**os cilos**	[ous **si**lous]
les paupières	**as pálperas**	[as **pa**ou**pé**ras]
le nez	**o nariz**	[ou na**ris**]
les joues	**as bochechas**	[as bo**ché**chas]
la bouche	**a boca**	[a **bo**ka]
la lèvre	**o lábio**	[ou **la**byou]
la dent	**o dente**	[o **dèn**tchi]
la langue	**a língua**	[a **lin**goua]
le menton	**o queixo**	[ou **kéï**chou]
la poitrine	**o peito**	[ou **péï**tou]
les seins	**os seios**	[ous **sè**yous]
le ventre	**a barriga**	[a ba**Ri**ga]
le dos	**as costas**	[as **kós**tas]
les fesses	**o traseiro/ as nádegas**	[ou tra**zéï**rou / as **na**dégas]
les bras	**os braços**	[ous **bra**ssous]
les mains	**as mãos**	[as **maons**]
le doigt	**o dedo**	[ou **dè**dou]
la jambe	**a perna**	[a **pèR**na]
le pied	**o pé**	[ou **pè**]
le cerveau	**o cérebro**	[ou **sè**rèbrou]
le coeur	**o coração**	[ou kora**ssaon**]
l'estomac	**o estômago**	[ou éch**to**mago]
les reins	**os rins**	[ous **rins**]
un os	**um osso**	[oum **ós**sou]
la peau	**a pele**	[a **pè**li]
le sang	**o sangue**	[ou **san**gui]
marcher	**caminhar / andar**	[kaminya**R** / anda**R**]
être debout	**estar de pé**	[éch**taR** dji **pè**]
être couché	**estar deitado**	[éch**taR** dé**ï**tadou]
être assis	**estar sentado**	[éch**taR** **sèn**tadou]
s'asseoir	**sentar-se**	[**sèn**ta**R**-si]
grand / petit	**alto / baixo**	[**a**-outou / **baï**chou]
gros / maigre	**gordo / magro**	[**góR**dou / **ma**grou]

A Comment dire en portugais ?
1. *J'aime beaucoup marcher.*
2. *Il est grand et maigre.*
3. *Elle a les cheveux longs.*

B Comprenez :
1. **Tem que ficar deitado.**
2. **Sente-se por favor.**
3. **Abra a boca!**

SOLUTIONS

A 1. **Gosto muito de andar.**
2. **É alto e magro.**
3. **Tem cabelos compridos.**

B 1. *Il faut rester couché.*
2. *Asseyez-vous SVP.*
3. *Ouvrez la bouche !*

• Températures clémentes, littoral sans fin, rendez-vous rituels *sur les plages* (**nas praias**) sont peut-être les raisons pour lesquels les brésiliens ont un véritable culte pour leur corps. Il se traduit par un soin de la ligne, par le sport, les produits de *régime* (**dieta**), les produits *allégés* (**light**), le recours à la *chirurgie esthétique* (**cirurgia plástica**) pratiquée par ceux qui en ont les moyens dés le plus jeune âge. D'ailleurs un des chirurgiens esthétiques les plus réputés au monde est brésilien, le Dr Pitangui a opéré les plus grandes stars internationales.
• L'autre manifestation de cette importance donnée au corps est visible au rayon cosmétiques des *supermarchés* (**supermercados**). Impossible de ne pas prendre au moins deux *douches* (**banhos**) par jour, de se shampouiner abondamment, de se passer de l'*après shampoing* (**condicionador**), de se mettre du *déodorant* (**desodorizante**), du *parfum* (**perfume**), de l'*huile* (**óleo**), des *crèmes* (**cremes**)…
A l'opposé de cela, il est remarquable de constater que les personnes qui n'entrent pas dans ce moule ne semblent pas avoir de complexes de se boudiner dans des habits mode mannequin.

Les sens os sentidos :

la vue	**a vista**	[a **vich**ta]
l'ouïe	**o ouvido**	[ou o-ou**vi**dou]
l'odorat	**o olfato**	[ou o-ou**fa**tou]
le toucher	**o tato**	[ou **ta**tou]
le goût	**o gosto**	[ou **góch**tou]

os órgãos :

os olhos	[os **ól**yous]
as orelhas	[as o**rél**yas]
o nariz	[ou na**ris**]
as mãos	[as **maons**]
a boca	[a **bo**ka]

aller / partir en vacances	**ir de férias**	[**i**R dji **fè**ryas]
pratiquer un sport	**praticar um esporte**	
	[pratchi**ka**R oum éch**pó**Rtchi]	
faire de la bicyclette	**andar de bicicleta**	[an**da**R dji bissi**klè**ta]
faire / jouer au football	**jogar futebal**	[jo**ga**R foutchi**bo-ou**]
le ballon	**a bola**	[a **bo**la]
le but	**o gol**	[ou **go-ou**]
supporter / supporter	**torcer / torcedor**	[toR**sé**R / toRsé**dô**R]
jouer au tennis	**jogar tênis**	[jo**ga**R **té**nis]
la raquette	**a raqueta**	[a Ra**ké**ta]
le terrain de…	**o campo de...**	[ou **kam**pou dji...]
jouer un match	**jogar uma partida / um jogo**	
	[jo**ga**R **ou**ma pa**R**tchida / oum **jo**gou]	
nager	**nadar**	[na**da**R]
la mer	**o mar**	[ou **ma**R]
la piscine	**a piscina**	[a pi**ssi**na]
courir	**correr**	[ko**Re**R]
marcher	**caminhar**	[kami**nya**R]
une randonnée	**uma trilha**	[ouma **tri**lya]
pêcher / la pêche	**pescar / a pesca**	
	[pèch**ka**R / a **pèch**ka]	
la plongée (sous marine)	**o mergulho**	[mèR**gou**lyou]
les palmes	**as barbatanas**	[as baRba**ta**nas]
le lac / la rivière	**o lago / o rio**	
	[ou **la**gou / ou **ri**you]]	
la lagune	**a lagoa**	[a la**go**a]
la plage	**a praia**	[a **pra**ya]
la vague	**a onda**	[a **on**da]
le surf	**o surfe**	[ou **sou**rfi]
aller en bateau	**andar de barco / de lancha**	
	[an**da**R dji **ba**rkou/dji **lan**cha]	
le spectacle	**o espetáculo**	
	[ou échpé**ta**koulou]	
le concert	**o show**	[ou **cho-ou**]
le groupe (de musique)	**a banda**	[a **ban**da]
la musique	**a música**	[a **mou**zika]
danser	**dançar**	[dan**sa**R]
le billet d'entrée	**o ingresso**	[ou in**grè**ssou]
la fête	**a festa**	[a **fèch**ta]

A Comment dire en portugais ? **B Comprendre :**
  1. *Où pouvons-nous plonger ?*   1. **Hoje tem um show**
                                          ótimo.
  2. *Je voudrais aller à la plage.*   2. **Vão fazer uma trilha ?**

SOLUTIONS

A 1. **Onde podemos mergulhar ?** **B** 1. *Aujourd'hui il y a un*
                                               excellent concert.
  2. **Gostaria de ir à praia.**   2. *Vous allez faire une*
                                            randonnée?

SPORTS, **esportes**.

Le football, **o futebol** [ou foutchi**bo-ou**]
On ne peut pas dissocier football et Brésil et cela n'est pas qu'un cliché pour touristes. Toutes les générations de brésiliens ont eu leurs héros : **Garrincha**, **Pelé**, **Ronaldinho**…et ils ont tout fait rêver les petits pauvres car c'est leur seule chance d'ascension sociale, et tous les autres car le football flatte l'esprit nationaliste et donne à l'étranger, une bonne image du pays.
Chaque brésilien est *un supporter* (**um torcedor** [oum toRsé**dôR**]) d'une ou de plusieurs *équipes* (**times** / **equipes** [tchimis ékipis]). Les *rencontres* (**jogos** / **partidas**) sont prétextes à toutes sortes de manifestation festives.
Le tennis, **o tênis**.
Très loin d'être aussi répandu que le foot il suscite l'intérêt de beaucoup depuis que le très populaire **Gustavo Kuerten**, dit **Guga**, originaire de **Florianópolis** a gagné plusieurs Rolland Garros.
Le volley de plage, **o vólei de praia**.
La plage est une institution et les brésiliens y pratiquent de nombreux sports dont le volley.
Le surf, **o surfe**.
Même si l'on peut penser que le coût de l'équipement limite sa popularité, l'envie de glisse pousse les jeunes les plus pauvres à se débrouiller pour récupérer et réparer les *planches* (**pranchas**) abandonnées par de plus favorisés.

➡ **RETENEZ : jogar** : *jouer*, *faire un sport*, **jogar tênis**, *jouer au tennis*, **jogar baralho**, *aux cartes*.
tocar : *jouer de la musique*, **jogar violão**, *jouer de la guitare*.
brincar : *jouer*, *s'amuser*, **brincar de esconde-esconde**, *jouer à cache-cache*.

113

nom	**sobrenome**	[sobré**no**mi]
prénom	**nome**	[**no**mi]
les parents (la famille)	**os parentes**	[ous pa**rèn**tchis]
les parents (père et mère)	**os pais**	[ous **pais**]
le père / la mère	**o pai / a mãe**	[ou **paï** / a **maï**]
le mari / la femme	**o marido / a mulher**	
	[ou ma**ri**dou / a mou**lyè**R]	
le fils / la fille	**o filho / a filha**	[ou **fi**lyou / a **fi**lya]
les enfants	**os filhos**	[ous **fi**lyous]
le frère / la soeur	**o irmão / a irmã**	[ou i**R**maon / a i**R**min]
l'oncle / la tante	**o tio / a tia**	[ou **tchi**ou / a **tchi**a]
les oncles et tantes	**os tios**	[ous **tchi**ous]
le / la cousin(e)	**o primo / a prima**	[ou **pri**mou / a **pri**ma]
le neveu / la nièce	**o sobrinho /a sobrinha**	
	[ou so**bri**nyou / a so**bri**nya]	
le beau-frère / la belle soeur	**o cunhado / a cunhada**	
	[ou kou**nya**dou / a kou**nya**da]	
le beau père / la belle mère	**o sogro / a sogra**	[ou **só**grou / a **só**gra]
le grand-père / la grand-mère	**o avô / a avó**	[ou a**vô** / a a**vó**]
les grand-parents	**os avós**	[ous a**vós**]
le parrain	**o padrinho**	[ou pa**dri**nyou]
la maraine	**a madrinha**	[a ma**dri**nya]
le (la) filleul (le)	**o (a) afilhado (a)**	[ou (a) afi**lya**dou (a)]
être enceinte	**estar grávida**	[éch**ta**R **gra**vida]
naître	**nascer**	[nas**sè**R]
le bébé	**o bebé**	[ou bè**bè**]
l'enfant	**a criança**	[a **krian**sa]
l'adolescent	**o adolescente**	[ou adolé**ssèn**tchi]
l'adulte	**o adulto**	[ou a**dou**-outou]
agé(e)	**idoso / idosa**	[i**dó**zou / i**dó**za]
mourir	**morrer / falecer**	[mo**Rè**R / falé**ssè**R]
célibataire	**solteiro / solteira**	
	[so-ou**téï**rou / so-ou**téï**ra]	
marié(e)	**casado / casada**	[ka**za**dou / ka**za**da]
divorcé(e)	**divorciado / divorciada**	
	[di**vó**R**sya**dou / di**vó**R**sya**da]	
veuf / veuve	**viúvo/ viúva**	[**viou**vou / **viou**va]

114

A Comment dire en portugais ?
1. *J'ai deux sœurs.*
2. *Etes-vous marié ?*
3. *Mon père habite au Brésil.*

B Comprendre :
1. **Tem filhos ?**
2. **Tenho quatro irmãos.**
3. **Meus avós são italianos.**

SOLUTIONS

A 1. **Tenho duas irmãs.**
2. **É casado ?**
3. **Meu pai mora no Brasil.**

B 1. *Avez-vous des enfants ?*
2. *J'ai quatre frères.*
3. *Mes grands-parents sont italiens.*

LES MÉTISSAGES. **A MISCIGENAÇÃO.**

• Trois couleurs de peau, la *jaune* (**amarela**), la *blanche* (**branca**) et la *noire* (**negra**), se sont rencontrées au Brésil et se sont, dès l'arrivée des portugais, mélangées. La langue portugaise adopte ainsi un vocabulaire pour définir les variantes de mélanges raciaux :
o mulato, *le mulâtre* : noir et blanc ;
o cabloclo / mameluco : jaune et blanc ;
o cafuzo : noir et jaune ;
• Depuis, un grand brassage s'est opéré et la majorité des brésiliens est bien incapable de savoir de quels mélanges ils sont le fruit. Dans le **Nordeste** on peut voir toutes les possibilités génétiques : mulâtres aux yeux légèrement verts bridés et aux cheveux crépus clairs…
• Au XIXᵉ siècle, la venue d'immigrés européens est favorisée avec deux objectifs : occuper des terres que les espagnols auraient pu vouloir revendiquer et aussi « blanchir » la population. Ainsi, le Sud a vu affluer *allemands* (**alemães**), *italiens* (**italianos**), *polonais* (**poloneses**), *ukrainiens* (**ucranianos**), *autrichiens* (**austríacos**)…et, *des japonais* (**japoneses**). Tous influencent le pays de leurs savoir-faire, langue, cuisine, etc
• Il existe aussi un certain nombre de « **turcos** » qui sont, en fait des syro-libanais, *chrétiens* (**cristãos**) ou *musulmans* (**muçulmanos**), arrivés avec un passeport ottoman.
Aujourd'hui, l'immigration provient principalement d'Asie, surtout de Chine.

habiter	**morar**	[mo**ra**R]
une maison	**uma casa**	[**ou**ma **ka**za]
un immeuble	**um prédio**	[oum **prè**dyou]
un appartement	**um apartamento**	[oum apaRta**mèn**to]
l'étage	**o andar**	[ou an**da**R]
une maison rurale	**uma quinta / uma fazenda / um sítio**	
	[**ou**ma **kin**ta / **ou**ma fa**zèn**da / oum **si**tchiou]	
l'adresse	**o endereço**	[ou èndé**ré**ssou]
au centre-ville	**no centro**	[nou **sèn**trou]
en banlieue	**no subúrbio / na periferia**	
	[nou sou**bou**Rbyou / na péri**fé**ria]	
à la plage	**na praia**	[na **pra**ya]
à la campagne	**no interior**	[nou inté**ryo**R]
la porte	**a porta**	[a **po**Rta]
le salon	**a sala (de estar)**	[a **sa**la (dji éch**ta**R)]
la salle à manger	**a sala de jantar**	[a **sa**la dji jan**ta**R] .
la chambre	**o quarto**	[ou **koua**Rtou]
la salle de bain	**o (quarto de) banho**	[ou (**koua**Rtou dji) **ba**nyou]
le couloir	**o corredor**	[ou coRé**do**R]
la cuisine	**a cozinha**	[a ko**zi**nya]
l'office	**a copa**	[a **ko**pa]
la buanderie	**a área de serviço**	[a **a**réa dji sè**R**vissou]
la bonne	**a empregada**	[a èmpré**ga**da]
la femme de ménage	**a faxineira**	[a fachi**néï**ra]
le mobilier	**a mobília**	[a mo**bi**lya]
le(s) meuble(s)	**o móvel / os móveis**	
	[ou **mó**vèou / ous **mó**véïs]	
le canapé	**o sofá**	[ou so**fa**]
le fauteuil	**a poltrona**	[a po-ou**tro**na]
la chaise	**a cadeira**	[a ka**déï**ra]
la table	**a mesa**	[a **mé**za]
le lit	**a cama**	[a **ka**ma]
l'armoire	**o armário**	[ou a**R**maryou]
la fenêtre	**a janela**	[a ja**né**la]
le balcon	**a sacada**	[a sa**ka**da]
louer / acheter	**alugar / comprar**	[alou**ga**R / kom**pra**R]
clair / sombre	**claro / escuro**	[**kla**rou / èch**kou**rou]

116

A Comment dire en portugais ?   **B Comprendre :**
1. *Je voudrais louer une maison.*   1. **Não está em casa .**
2. *Vous avez un bel appartement.*   2. **Fique a vontade.**
3. *Quelle est votre adresse ?*   3. **Sejam bem vindos !**

SOLUTIONS

A 1. **Queria alugar uma casa.**   **B** 1. *Il n'est pas à la maison.*
2. **Tem um lindo apartamento.**   2. *Faites comme chez-vous.*
3. **Qual é seu endereço ?**   3. *Soyez bien venus !*

• Dans les grandes villes, les brésiliens qui ont des revenus suffisants habitent dans des immeubles en *copropriété* (**condomínios**), toujours surveillés par au moins un *gardien* (**porteiro**), parfois même par des *vigiles* (**seguranças**). Le **zelador**, lui est chargé de la maintenance. Généralement les halls d'immeubles sont luxueux, décorés et *meublés* (**mobiliados**) pour faire patienter les visiteurs.
• Certains immeubles offrent diverses prestations : *salle des fêtes* (**salão de festas**) avec *barbecue* (**churrasqueira**), *places de parking* (**vagas**), *piscine* (**piscina**), *sauna* (**sauna**), *salle de sport* (**fitness center**), *terrains de sport* (**quadra**), *jardin de jeux pour enfants* (**playground**) …Le plus souvent il existe une *entrée de service* (**entrada de serviço**) et un *ascenseur de service* (**elevador de serviço**) pour les *employées de maison*, (**empregada**), *femmes de ménage*, (**faxineiras**) et autres.
• L'appartement peut être en **cobertura**, c'est à dire en *duplex* (**duplex**) sur les 2 derniers *étages* (**andares**), parfois avec piscine privée. Grand *salon* (**sala/living**) avec *toilettes pour les visiteurs* (**banheiro social**), il peut avoir des *chambres avec salle de bain-wc comportant douche et baignoire* (**master suite**), avec *salle d'eau et wc* (**suíte**) ou des *chambres simples* (**quartos / dormitórios**) fréquemment équipées d'*armoires intégrées* (**armários embutidos**). Attenant à la **cuisine** (**cozinha**), il y a un *office* (**copa**) et une *buanderie* (**área de serviço**). Pour loger son employée de maison, *une chambre de bonne* (**quarto de empregada**) et une *salle de bain* (**banheiro**).

➡ **RETENEZ AUSSI :**
O sítio : maison entourée d'un jardin en dehors de la ville.
A chácara : même chose mais peut être aussi située en ville.
A fazenda : propriété rurale de production agricole.
A casa da praia : la maison de plage.

Le climat	**o clima**	[ou **kli**ma]
le ciel	**o céu**	[ou **sè**ou]
le soleil	**o sol**	[ou **so**-ou]
ensoleillé	**ensolarado**	[ènsola**ra**dou]
le vent / venteux	**o vento / ventoso**	
	[ou **vèn**tou / vèn**tó**zou]	
le nuage / nuageux	**a nuvem / nublado**	
	[a **nou**vèm / nou**bla**dou]	
le crachin	**o chuvisco**	[o chou**vich**kou]
la pluie / pluvieux	**a chuva / chuvoso**	
	[a **chou**va / chou**vó**zou]	
pleuvoir	**chover**	[cho**vèR**]
il pleut	**chove / está chovendo**	
	[**chó**vi / **éch**ta cho**vèn**dou]	
l'averse	**a chuvarrada**	[a chouva**Ra**da]
l'inondation	**a enchente**	[a èn**chèn**tchi]
l'orage	**o temporal**	[ou tèmpo**ra**ou]
l'éclair	**o raio**	[ou **Ra**you]
le tonnerre	**a trovoada / o trovão**	
	[a trovo**a**da / ou tro**va**on]	
le brouillard	**a neblina**	[a né**bli**na]
la neige	**a neve**	[a **nè**vi]
humide	**úmido**	[**ou**midou]
l'humidité	**a umidade**	[a oumi**da**dji]
sec / la sécheresse	**seco / a seca**	[**sé**kou / a **sé**ka]
froid / chaud	**frio / quente**	[**fri**you / **kèn**tchi]
le froid / la chaleur	**o frio / o calor**	
	[ou **fri**you / ou ka**lôR**]	
refroidir	**esfriar**	[échfriya**R**]
chauffer	**esquentar**	[échkèn**taR**]
le température	**a temperatura**	[a tèmpéra**tou**ra]
le degré	**o grau**	[ou **gra**ou]
les saisons	**as estações**	[as écha**sson-is**]
le printemps	**a primaveira**	[a prima**véï**ra]
l'été	**o verão**	[ou vé**ra**on]
l'automne	**o outonou**	[ou o-ou**tô**nou]
l'hiver	**o inverno**	[ou in**vèR**nou]

118

A Comment dire en portugais ?
   1. *Quelle chaleur!*
   2. *Quelle est la température ?*

B Comprendre :
   1. **Vai chover.**
   2. **32 graus.**

SOLUTIONS

A 1. **Que calor !**
   2. **Qual é a temperatura ?**

B 1. *Il va pleuvoir.*
   2. *32 degrés.*

LE CLIMAT. **O clima.**

• La plus grande partie du territoire brésilien étant situé au sud de la ligne de l'équateur, les saisons sont inversées : l'été commence en décembre et l'hiver en juin. Mais cela ne concerne que la région Sud (**Sul**) du pays où les températures hivernales (juillet) peuvent descendre *sous le zéro* (**abaixo o zero**).

• L'extrême nord du pays, l'Amazonie, présente un climat équatorial, chaud et humide toute l'année avec des pics de précipitations entre octobre et mars.

• Le reste du Brésil a un climat tropical qui varie considérablement selon les zones géographiques :
– le **sertão**, à l'intérieur du Nordeste est une zone semi-aride qui souffre de longues *sécheresses* (**secas**) .
– sur toute la bande côtière entre *mer* (**mar**) et *montagne.*(**serra**), de **Fortaleza** à **Rio**, il fait chaud toute l'année (entre 25° en juillet et 37° en janvier), températures atténuée par les brises marines. Ce sont les précipitations, plus fréquentes en hiver, qui font la différence.

Attention : pour observer la richesse naturelle de la faune du **Pantanal**, à l'ouest du pays, il faut s'y rendre en juillet ou août car cette région dont le nom signifie « *marécages* » est inondée d'octobre à mars.

• Pour l'Amazonie il faut préférer juin ou juillet, période moins humide et moins chaude, pendant laquelle le niveau des eaux est encore suffisamment élevé pour apprécier la magie de cette région.
En juillet / août à **Rio**, dans le **Minas Gerais** et à **São Paulo** les températures peuvent être fraîches la nuit (12°).

chrétien (ne)	**cristão / cristã**	[krichtaon / krichtin]
catholique	**católico**	[katólikou]
orthodoxe	**ortodoxo**	[óRtodóksou]
protestant	**protestante**	[protèchtantchi]
évangéliste	**evangelista**	[évanjélichta]
le témoin de Jéhova	**a testemunha-de-Jeova**	
	[a téchtémounya dji jéova]	
juif / juive	**judéu / judia**	[joudèou / joudjia]
musulman	**muçulmano**	[moussou-oumanou]
boudiste	**budista**	[boudichta]
l'église	**a igreja**	[a igrèja]
spirite	**espírita**	[échpirita]
le temple	**o templo**	[ou tèmplou]
la mosquée	**a mesquita**	[a mèchkita]
la synagogue	**a sinagoga**	[a sinagoga]
dieu	**deus**	[dèous]
le saint	**o santo**	[ou santou]
être croyant	**ser crente**	[sèR krèntchi]*
la croyance	**a crença**	[a krènsa]
la foi	**a fé**	[a fè]
le paradis	**o paraíso**	[ou paraizou]
l'enfer	**o inferno**	[ou infèRnou]
le prêtre	**o padre**	[ou padre]
le pasteur	**o pastor**	[ou pachtôR]
l'évêque	**o bispo**	[ou bichpou]
la dizime	**a dízima**	[a djizima]
la bible	**a bíblia**	[a biblya]
prier	**rezar**	[rézaR]
une procession	**uma procissão**	[ouma prossissaon]
la messe	**a missa**	[a missa]
le culte	**o culto**	[ou kou-outou]

➡ **QUELQUES EXPRESSIONS :**
se Deus quiser ! : *si Dieu le veut !*
• **Até amanhã !** *A demain !*
• **Se Deus quiser !** *Si Dieu le veut !*
graças a Deus ! Deus seja louvado ! *Dieu soit loué !*
• **Chegou ?** *Il est arrivé ?*
• **Graças e Deus !** (*oui*) *Dieu soit loué !*

• *La spiritualité* (**a espiritualidade**) est une nécessité pour les brésiliens aussi l'athéisme est extrêmement rare. Afficher sa religion au moyen d'autocollants, de tee-shirts est une pratique courante.

Jésus est l'objet d'une véritable vénération. La majorité des brésiliens continue à être catholique mais d'autres religions et/ou *sectes* (**seitas**) chrétiennes gagnent du terrain. Partout surgissent des églises évangélistes (*baptistes* (**batistas**), *adventistes* (**adventistas**), *presbytériennes* (**presbiterianas**)…) et *pentecôtistes* (**pentecotistas**) (IURD, évangile *quadragulaire* (**quadragular**)…) Leur pouvoir est considérable car ils ont su séduire en utilisant tous les moyens modernes de communication : certaines comme *l'Eglise Universelle du Règne de Dieu* (**Igreja Universal do Reino de Deus, IURD**) d'**Edir Macedo** possèdent nombre de chaînes de radio, de télévision (comme **Recorde**, une des 4 grandes chaînes nationales, des maisons d'édition, organisent de grands concerts…

• Des *pasteurs* (**pastores**) s'arrogent des pouvoirs des plus farfelus : faire maigrir, pratiquer la chirurgie à mains nues, évacuer les démons des corps, cérémonies qui peuvent être diffusées à la télévision aux grandes heures d'écoute. Il ne faut pas perdre de vue que toutes les « églises » perçoivent un dixième des revenus de leurs ouailles (**a dízima**).

Au fil des vagues d'immigration d'autres religions se sont implantées : orthodoxes venus de Grèce ou d'Europe centrale, musulmans de Syrie ou du Liban, juifs, bouddhistes du Japon…

Il n'est pas rare, non plus, que des catholiques aient d'autres pratiques religieuses en parallèle comme le **candomblé** (voir A17), la **macumba**, l'**umbanda** ou *le spiritisme* (**o espiritismo**) d'Allan Kardec.

➡ **ATTENTION** : le mot *croyant*, **crente** [**krèn**tchi], désigne maintenant les évangélistes.

la presse	**a imprensa**	[a imprènsa]
le journal	**o jornal**	[ou joRnaou]
quotidien	**diário**	[ou dyaryou]
la revue	**a revista**	[a révichta]
hebdomadaire	**semanal**	[sémanaou]
mensuel	**mensal**	[mènsaou]
lire	**ler**	[lèR]
la page	**a página**	[a pajina]
la une	**a manchete**	[a manchètchi]
le kiosque à journaux	**a banca de jornais**	[a banka dji joRnaïs]
l'abonné	**o assinante**	[ou assinantchi]
l'abonnement	**a assinatura**	[a assinatoura]
les publicités	**os comerciais**	[ous comèRsyaïs]
un journaliste	**um jornalista**	[oum joRnalichta]
un reporter	**um repórter**	[oum répóRtèR]
la télévision	**a televisão**	[a télévizaon]
la chaîne	**o canal**	[ou kanaou]
le petit écran	**a telinha**	[a télinya]
TV à cable	**TV a cabo**	[tévé a kabou]
en direct	**ao vivo**	[aou vivou]
une émission	**um programa**	[oum programa]
allumer (la TV) / éteindre	**ligar / desligar**	[ligaR / dèchligaR]
regarder (la TV)	**assistir**	[assichtchiR]
enregistrer	**gravar**	[gravaR]
les informations	**as notícias**	[as notissyas]
le JT	**o noticiário / o jornal** [ou notissyaryou / ou joRnaou]	
le télé-roman	**a (tele) novela**	[a (télé) novéla]
le débat	**o debate**	[ou débatchi]
l'interview	**a entrevista**	[a èntrévichta]
l'audimat	**o ibope**	[ibópi]
la radio	**o rádio**	[ou Radjyou]
la musique	**a música**	[a muzika]
écouter	**escutar**	[échkoutaR]

A Comment dire en portugais ?
1. *Combien de chaînes avez-vous ?*
2. *C'est une télévision câblée ?*

3. *Je voudrais cette revue.*

B Comprendre :
1. **Assistiu o jornal ?**
2. **Existem bons programas.**
3. **Quer escutar música ?**

SOLUTIONS

A 1. **Quantos canais tem ?**
2. **É tv** [tévé]**a cabo ?**
3. **Queria esta revista.**

B 1. *Tu as regardé les infos ?*
2. *Il y a de bonnes émissions.*
3. *Tu veux écouter de la musique ?*

LA TÉLÉVISION. **A televisão.**

• C'est de loin le média le plus prisé. Si, seulement 32 % des foyers sont équipés d'une machine à laver le linge, 90 % ont un téléviseur. Il n'est donc pas surprenant de voir au fin fond de l'Amazonie des télévisions alimentées par un *groupe électrogène* (**gerador**), des antennes jaillir des plus miséreuses **favelas** (*bidonvilles*), ni de compter une demi-douzaine de petits écrans chez certains.

• Cet engouement des brésiliens pour leur télé fait de **Rede Globo** la 4e entreprise télévisuelle du monde après ses consœurs nord-américaines et la première du pays. **Rede Globo**, comme les trois autres chaînes à diffusion nationale (**Bandeirante**, **SBT** et **Recorde**) est une entreprise *privée* (**particular**). Il n'existe qu'une chaîne publique : **TV Educativa**.

• L'énorme succès de **Globo** est lié à sa production de **telenovelas** (voir A16). Son influence est telle qu'on lui attribue l'élection à la Présidence de la République, en 1990 de **Fernando Collor de Mello** qui, accusé de corruption, démissionnera 2 ans plus tard.
La plupart des programmes (des 3 chaînes privées) ressortent de la télé poubelle, très racoleurs, exhibitionnistes. Les grands concepts nord-américains, comme le Loft, y ont une place de choix.
Il faut savoir, pour en comprendre les contenus, que **Recorde** appartient à une des sectes pentecôtistes : l'Eglise Universelle du Règne de Dieu (**IURD**, voir B18).
Il existe aussi de très nombreuses chaînes régionales dont certaines sont rattachées aux grands groupes nationaux.

l'école de samba	**a escola de samba**	[a escola dji **sam**ba]
le carnaval de rue	**o carnaval de rua**	[ou kaRna**va**ou dji **Rou**a]
le défilé	**o desfile**	[o dech**fi**li]
l'avenue	**a avenida / o sambódromo**	
	[a avé**ni**da / ou sam**bó**dromou]	
les gradins	**a arquibancada**	[a aRkiban**ka**da]
une loge	**um camarote**	[oum kama**ró**tchi]
une entrée (billet)	**um ingresso**	[oum in**gré**ssou]
le char (allégorique)	**o carro alegórico**	[ou **ka**Rou alé**gó**rikou]
le bal	**o baile**	[ou **ba**ïlé]
danser	**dançar**	[dan**saR**]
danser la samba	**sambar**	[sam**baR**]
danser (carnaval de Salvador = sauter)		
	pular	[pu**laR**]
champion (ne)	**campeão – campeã**	
	[kam**pé**aon – kam**pé**in]	
groupe de percussionistes	**bateria**	[baté**ri**a]

Quelques instruments de percussion
Alguns instrumentos de percussão

o surdo [ou **souR**dou] : grosse caisse qui marque le tempo de la samba.
o tamborim [ou tambo**rim**] : petit tambourin plat qui se tient dans la main.
a cuíca [a kou**i**ka] : sorte de tambour dont le son aigu et très particulier est obtenu par un frottement à l'intérieur de la caisse.
o reco-reco [ou **Ré**kou **Ré**kou] : racleur composé d'une pièce striée que l'on frotte; on l'appelle **ganza** à Salvador.
o repinique [ou Répi**ni**ki]: tambour au son aigu.
o pandeiro [ou pan**dé**ïrou] : la tambour de basque.
o tarol [ou ta**rô**-ou] : tambour au son clair.
Les instruments *à cordes* (**de cordas**) comme *la guitare* (**o violão**) font parfois une apparition auprès du **puxador** [poucha**dôR**](*chanteur*).
Les instruments *à vent* (**de sopro**) ne sont pas autorisés lors du défilé.
Toutes les villes du Brésil ont leur carnaval. Les quatre plus connus sont les défilés de **Rio de Janeiro** et de **São Paulo**, les carnavals de rues de **Recife** et de **Salvador da Bahia**.

LE CARNAVAL DE **Recife (Olinda).**

• C'est un carnaval de rue dont le temps fort est le défilé du **Maracatu**. Marquée par l'Afrique cette procession profane met en scène le couronnement du roi Congo et de son épouse la reine du **Maracatu**. En costumes coloniaux, *la suite* (**o séquito**) de *sujets* (**súditos**), de *courtisans* (**cortesãos**), *les dames du palais* (**as damas do paço**), les indiens (**os caboclinhos**) dansent au son des percussions africaines (**batucadas**). A **Recife** on danse la samba et, surtout le **frevo**, plus rapide et plus acrobatique.

• Le carnaval de **Salvador da Bahia.**

Folie collective de rue où *les groupes de participants* (**blocos**), ne dansent pas mais « *sautent* » (**pulam**) sur les sons électriques joués depuis de gros camions (**os trios elétricos**).

En d'autres lieux on peut se laisser entraîner par les rythmes africains des **afoxés**, groupes carnavalesques des **candomblés** (religion afro-brésilienne) comme **Olodum**, **Os filhos de Gandhi**.

Le carnaval de **Rio.**

• Ce n'est plus un carnaval de rue. C'est un grandiose défilé organisé dans une avenue construite à cette fin : **o sambódromo** ou **avenida Marquês de Sapucaí**, longue de 600 m.

Les écoles de samba sont en fait des associations qui regroupent chacune de 3 500 à 5 000 participants dont plusieurs centaines sont *les percussionnistes* (**a bateria**). L'ensemble du défilé obéit à des règles immuables et très strictes. *Un thème* (**um enredo**) doit être inspiré de l'histoire ou de la culture du pays, il est mis en scène par un **carnavalesco** (chorégraphe-metteur en scène-architecte-costumier) et est développé au moyens de *chars* (**carros**), de 9 à 15 par école, sur lesquels les **destaques**, merveilleusement (ou peu) vêtus sont souvent des célébrités. Les participants eux sont divisés en petits *groupes* (**alas**) de plusieurs centaines de personnes chacun illustrant un aspect du thème, chaque école en présente de 30 à 50. **A ala das baianas** (le groupe des bahianaises reconnaissables à leurs amples jupons) fait partie des éléments obligatoires comme, entre autres :

A comissão de frente, sert d'introduction .

O caro abre-alas est le premier char, il vient après la **comissão.**

O mestre-sala et a porta bandeira, *le maître de cérémonie et la porte drapeau* est un couple d'excellents danseurs vêtus en marquis et marquise, présente la bannière de l'école.

Annexes

Sommaire

1. ALPHABET ET PRONONCIATION

a   [a]   : comme en français *papa*.
b   [b]   : comme en français *bain*.
c   [k   : devant **a, o, u**, comme en français *case, colle, cure;*
        [s]   : devant e, i, comme en français *certain, citron.*
ç   [s]   : se rencontre devant **a, o, u** ; ex. : **raça, paço, açúcar.**
ch [ch] : comme en français *chat.*
d   [d]   : devant **a, o, u**, comme en français *date, docteur, durer*, ainsi que devant **e** quand celui-ci est en position tonique ou prétonique, ex.: **moderno** ;
        [dj] : devant **i** et **e** atone, ex. : **grande** [**gran**dji] ;
e   [é]   : comme en français *été*, quand cette lettre est en position tonique; l'accent écrit qui correspond à ce son est ' ;
        [i]   : en position atone, ex. : **parte** [**par**tchi].
é   [è]   : comme en français *quai*, (accent aigu indiquant un son ouvert.
f   [f]   : comme en français *fatiguer*
g   [j]   : comme en français *gentil, gilet*, devant e, i ;
        [g]   : comme en français *garde, gorge, gustatif*, devant **a, o, u.**
gu [g]   : comme en français *guerre, guide*, devant e, i ;
        [gou] : comme en français *iguane*, devant **a, o.**
gü [gou] : devant **e, i**, ex. : **antigüidade, agüentar**
h   ne correspond à aucun son.
i   [i]   : comme en français *divise.*
j   [j]   : comme en français *jardin.*
l   [l]   : comme en français *ligne, voile;*
        [ou] : en position finale, ex. : **Brasil** [bra**ziou**], **fácil** [**fa**ssiou] ou en fin de syllabe, ex. : **provavelmente** [provavéou**mèn**tchi] ;
lh [ly] : correspond à peu près à *li* dans le français *palier.*
m   [m]   : comme en français *mardi;* en fin de syllabe, il nasalise la voyelle précédente, ex. : **campo** [**kam**pou], comme en français *chant*, **bom** [**bon**], comme en français *bon;* -**am** en fin de mot, se prononce de la même manière que -**ão** [-**aon**], ex. : **cantam.**
n   [n]   : comme en français *normal*, comme **m** il nasalise la voyelle précédente, ex. : **pensar** [pen**saR**].
nh [gn] : correspond approximativement à *gn* comme dans *agneau* ;
o   [o]   : comme en français *pause*, en position tonique. L'accent écrit qui correspond à ce son est ^;
        [ou] : comme en français *poudre*, en position atone, et, plus particulièrement en finale, ex. : **quero** [**ké**rou].
o   [o]   : très ouvert comme dans *cotte*, ex. : **só, pó, avó.**
p   : comme en français *papa.*
qu [k]   : devant **e, i**, comme en français *quel, qui.*
qu [kou] : devant **a, o**, comme en français *quoi.*
qü [kou] : devant **e, i**, ex. : **freqüente, tranqüilo.**

127

r [r] : légèrement roulé entre deux voyelles, ex. : **irá, querer,** ou dans les groupes de consonnes comme **br**, **cr**, **dr**, **fr**, **gr**, **pr**, **tr**, **vr**...

[R] : grasseyé un peu comme en français en début ou en fin de syllabe, *rue*, **rua**, *perdre*, **perder.**

s [z] : entre deux voyelles comme en français *case, brise;*

[s] : *possible* quand double, ou dans les autres positions, ex. **sonhos** ; cependant la prononciation du **s** est très différente d'une région à une autre; à Rio il correspond presque à [ch].

t [t] : devant **a**, **o**, **u**, ainsi que devant **e** en position tonique ou prétonique, comme en français *tenir, taper, toto.*

[tch] : devant **i** et **e** en position postonique, ex. : **tio, parte.**

u [ou] : le *u* à la française n'existe pas, il est toujours prononcé [ou] comme dans *tourner*, ex. : **mudar** [mou**daR**], **surdo** [sou**R**dou]**.**

v [v] : comme en français *vent, vite.*

x [ch] en initiale et entre deux voyelles, ex. : **xarope, baixo**

[s] entre deux voyelles, ex. : **mâximo** [**ma**ssimou]**,** ou avant une consonne

[z] entre deux voyelles, ex. : **exame.**

[ks] comme dans le fançais *complexe*, **complexo ;**

z [zJ : comme dans le français *zéro* en initiale et entre deux voyelles ;

[s] : en fin de mot, ex. : **vez.**

Outre ces lettres, le portugais possède des d*iphtongues* (**ditongos**), c'est-à-dire des combinaisons de *voyelles* (**vogais**) qui se prononcent en même temps; ces diphtongues sont divisées en deux groupes selon leur mode d'articulation : *orales* (**orais**) quand l'air passe par la bouche, *nasales* (**nasais***)* lorsque l'air passe par le nez.

Les diphtongues orales : **ai (pai), ei (peguei), oi (foi), ui (fui), au (mau), eu (meu), iu (partiu), ou (vou** [voou])** ; la première voyelle s'entend toujours plus que la seconde qui sert d'écho, comme dans le français *aie !*

Les diphtongues nasales : **-ão irmão** [i**R**maon]**, -ãe mãe** [maï]**, -ões corações** [kora**sson**-is) et une voyelle nasale : **-ã irmã** [i**R**min]

2. L'ACCENT TONIQUE (o acento tônico)

Il est fondamental dans la langue portugaise, chaque mot, à part quelques monosyllabiques (mots comprenant une seule syllabe), porte un accent. L'accent tonique s'entend, il est marqué par une légère élévation de la voix et un petit prolongement de la voyelle accentuée. Cette syllabe tonique apparaît en gras dans les transcriptions entre crochets.

Les règles sont les suivantes :

L'accent porte sur l'avant-dernière syllabe lorsque le mot est terminé par **a**, **e**, **o**, **m** ou **s**, ex. : **pa**/ra, **par**/te, **ga**/to, **par**/tem, **ca**/sas.

L'accent porte sur la dernière syllabe lorsque le mot est terminé par **i**, **u**, par une consonne autre que -**m** et -**s**, ou par une diphtongue; ex. : sa/po/**ti**, tra/di/cio/**nal**, per/**der**, ir/**mão**, pe/**guei**, can/**tou**.

Les mots qui ne suivent pas ces règles portent un accent écrit.

L'accent aigu indique que la voyelle accentuée est ouverte :

C'est, pour un **e**, le même son que le français *père*, ex.: **pontapé**, pour un **o**, c'est l'équivalent du son de *pomme,* ex. : **mocotó**, par contre, il ne modifie pas le son des autres voyelles sur lesquelles il peut être porté.

L'accent circonflexe indique que la voyelle accentuée est fermée.

C'est, pour le **e**, l'équivalent de notre *é* : *été,* ex. : **cadê**, pour un **o**, on aura un son proche du français *tableau,* ex. : **avô** , il ne modifie pas non plus le son des autres voyelles sur lesquelles il peut être porté.

Quelques exemples de mots qui portent un accent écrit: a **cân**/ta/ra, fran/**cês**, pos/**sí**/vel, di/cio/**ná**/rio, tam/**bém**, **ór**/fão

L'accent grave n'apparaît que sur **à**, issu d'une contraction (voir A9) n'a pas d'incidence sur le son, il joue uniquement un rôle grammatical.

O til : le tilde, signe graphique, n'est pas un accent, il indique la nasalité, c'est-à-dire qu'une partie de l'air dont on a besoin pour prononcer ce son sort par le nez, comme en français *un, on.*

3. LES NOMBRES

Cardinaux (cardinais)

0 **zero** [**zè**rou]	10 **dez** [**déïs**]
1 **um** [**oum**]	11 **onze** [**onz**i]
2 **dois**[**dóïs**]masc	12 **doze** [**dóz**i]
duas [**dou**as]fém	13 **treze** [**trèz**i]
3 **três** [**tréïs**]	14 **quatorze** [kató**R**zi]
4 **quatro**[**koua**trou]	15 **quinze** [**kin**zi]
5 **cinco** [**sinkou**]	16 **dezesseis** [dézé**sséïs**]
6 **seis** [**séïs**]	17 **dezesete** [dézes**sètch**i]
7 **sete** [**sètch**i]	18 **dezoito** [dé**zóï**tou]
8 **oito** [**óï**tou]	19 **dezenove** [dézé**nóv**i]
9 **nove** [**nóv**i]	20 **vinte** [**vin**tchi]

30 **trinta** [**trin**ta]	
40 **quarenta** [koua**rèn**ta]	
50 **cinqüenta** [sin**kouèn**ta]	
60 **sessenta** [sés**sèn**ta]	
70 **setenta** [sé**tèn**ta]	
80 **oitenta** [óï**tèn**ta]	
90 **noventa** [no**vèn**ta]	
100 **cem** [**sèm**]	
200 **duzentos** [dou**zèn**tous]	
1000 **mil** [**miou**]	
1 million 1 **milhão** [mil**yaon**]	

129

– Ensuite on a : 21 **vinte e um**, 22 **vinte e dois**, 23 **vinte e três** ..
– Après **cem**, on utilise **cento** : **cento e um**, **cento e noventa e nove** .
– 300 **trezentos**; 400 **quatrocentos**; 500 **quinhentos**; 600 **seiscentos**...
– **E** (*et*) est placé entre les dizaines et les unités, les centaines et les
dizaines mais pas entre les milliers et les centaines sauf quand **mil** est
suivi d'un chiffre simple :
• 1983 **mil novecentos e oitenta e três**
• 2800 **dois mil e oitocentos**
Milhares : *des milliers*; **aos milhares**, *par millions*.
1 bilhão / bilhões : *un million / des millions.*

Ordinaux (ordinais)

1er **primeiro** [priméïrou]	*2e* **segundo** [ségoundou]
3e **terceiro** [tèRséïrou]	*4e* **quarto** [kouaRtou]
5e **quinto** [kintou]	*6e* **sexto** [sèchtou]
7e **sétimo** [sètchimou]	*8e* **oitavo** [óïtavou]
9e **nono** [nónou]	*10e* **décimo** [dèssimou]

ils sont rarement usités à partir du 11e.
– Pour les siècles, les chapitres...on procède ainsi :
• **O século dezoito**, *le* XVIIIe *siècle.*
• **O capítulo trinta e dois**, *le 32e chapitre.*

4. CONJUGAISON RÉGULIÈRE DES VERBES DU PREMIER GROUPE :
GOSTAR : *AIMER*

INDICATIF

Présent	Passé simple	Imparfait	Futur	Plus que parfait
j'aime, etc	*J'aimai, etc*	*J'aimais, etc*	*J'aimerai*	*J'avais aimé*
gosto	**gostei**	**gostava**	**gostarei**	**gostara**
gosta	**gostou**	**gostava**	**gostará**	**gostara**
gostamos	**gostamos**	**gostávamos**	**gostaremos**	**gostáramos**
gostam	**gostaram**	**gostavam**	**gostarão**	**gostaram**

SUBJONCTIF   CONDITIONNEL

Présent *	Imparfait	Futur	
que j'aime	*que j'aimasse*		*j'aimerais*
goste	**gostasse**	**gostar**	**gostaria**
goste	**gostasse**	**gostar**	**gostaria**
gostemos	**gostássemos**	**gostarmos**	**gostaríamos**
gostem	**gostassem**	**gostarem**	**gostariam**

5. Conjugaison régulière des verbes du deuxième groupe :
COMER : *MANGER*

INDICATIF

Présent	Passé simple	Imparfait	Futur	Plus que parfait
Je mange...	*Je mangeai...*	*Je mangeais...*	*Je mangerai...*	*J'avais mangé*
como	**comi**	**comia**	**comerei**	**comera**
come	**comeu**	**comia**	**comerá**	**comera**
comemos	**comemos**	**comíamos**	**comeremos**	**comêramos**
comem	**comeram**	**comiam**	**comerão**	**comeram**

SUBJONCTIF			CONDITIONNEL
Présent *	Imparfait	Futur	
que je mange	*que je mangeasse*		*je mangerais*
coma	comesse	comer	comeria
coma	comesse	comer	comeria
comamos	comêssemos	comermos	comeríamos
comam	comessem	comerem	comeriam

* L'impératif utilise les mêmes formes que le subjonctif présent.

6. CONJUGAISON RÉGULIÈRE DES VERBES DU TROISIÈME GROUPE : ABRIR / *OUVRIR*

INDICATIF

Présent	Passé simple	Imparfait	Futur	Plus que parfait
J'ouvre	*J'ouvris*	*J'ouvrais*	*J'ouvrirai*	*J'avais ouvert*
abro	abri	abria	abrirei	abrira
abre	abriu	abria	abrirá	abrira
abremos	abrimos	abríamos	abriremos	abríramos
abrem	abriram	abriam	abrirão	abriram

SUBJONCTIF			CONDITIONNEL
Présent*	Imparfait	Futur	
que j'ouvre	*que j'ouvrisse*		*j'ouvrirais*
abra	abrisse	abrir	abriria
abra	abrisse	abrir	abriria
abramos	abríssemos	abrirmos	abriríamos
abram	abrissem	abrirem	abririam

7. CONJUGAISON DU VERBE SER / *ETRE*

Présent	Passé simple	Imparfait	Futur	Plus que parfait
Je suis	*Je fus*	*J'étais*	*Je serai*	*J'avais été*
sou	fui	era	serei	fora
é	foi	era	será	fora
somos	fomos	éramos	seremos	fôramos
são	foram	eram	serão	foram

SUBJONCTIF			CONDITIONNEL
Présent*	Imparfait	Futur	
que je sois	*que je fusse*		*je serais*
seja	fosse	for	seria
seja	fosse	for	seria
sejamos	fôssemos	formos	seríamos
sejam	fossem	forem	seriam

8. CONJUGAISON DU VERBE IR / *ALLER*

Présent	Passé simple	Imparfait	Futur	Plus que parfait
Je vais	*Je fus*	*J'allais*	*J'irai*	*J'étais allé*
vou	fui	ia	irei	fora
vai	foi	ia	irá	fora
vamos	fomos	íamos	iremos	fôramos
vão	foram	iam	irão	foram

SUBJONCTIF			CONDITIONNEL
Présent*	Imparfait	Futur	
que j'aille	*que je fusse*		*j'irais*
vá	fosse	for	iria
vá	fosse	for	iria
vamos	fôssemos	formos	iríamos
vão	fossem	forem	iriam

* L'impératif utilise les mêmes formes que le subjonctif présent.

9. CONJUGAISON DU VERBE ESTAR / *ETRE*

Présent	Passé simple	Imparfait	Futur	Plus que parfait
Je suis	*Je fus*	*J'étais*	*Je serai*	*J'avais été*
estou	estive	estava	estarei	estivera
está	esteve	estava	estará	estivera
estamos	estivemos	estávamos	estaremos	estivéramos
estão	estiveram	estavam	estarão	estiveram

SUBJONCTIF			CONDITIONNEL
Présent*	Imparfait	Futur	
que je sois	*que je fusse*		*je serais*
esteja	estivesse	estiver	estaria
esteja	estivesse	estiver	estaria
estejamos	estivéssemos	estivermos	estaríamos
estejam	estivessem	estiverem	estariam

10. CONJUGAISON DU VERBE TER / *AVOIR*

Présent	Passé simple	Imparfait	Futur	Plus que parfait
J'ai	*J'eus*	*J'avais*	*J'aurai*	*J'avais eu*
tenho	tive	tinha	terei	tivera
tem	teve	tinha	terá	tivera
temos	tivemos	tínhamos	teremos	tivéramos
têm	tiveram	tinham	terão	tiveram

SUBJONCTIF			CONDITIONNEL
Présent *	Imparfait	Futur	
que j'aie	*que j'eusse*		*j'aurais*
tenha	tivesse	tiver	teria
tenha	tivesse	tiver	teria
tenhamos	tivéssemos	tivermos	teríamos
tenham	tivessem	tiverem	teriam

11. Conjugaison du verbe HAVER/AVOIR

Présent	Passé simple	Imparfait	Futur	Plus que parfait
Il y a	*Il y eu*	*Il y avait*	*Il y aura*	*Il y avait eu*
há	houve	havia	haverá	havera

SUBJONCTIF

Présent *	Imparfait	Futur	CONDITIONNEL
qu'il y ait	*qu'il y eut*	*qu'il y aura*	*Il y aurait*
haja	houvesse	houver	haveria

* L'impératif utilise les mêmes formes que le subjonctif présent.

12. Conjugaison du verbe VIR/VENIR

Présent	Passé simple	Imparfait	Futur	Plus que parfait
Je viens	*Je vins*	*Je venais*	*Je viendrai*	*J'étais venu(e)*
venho	vim	vinha	virei	viera
vem	veio	vinha	virá	viera
vimos	viemos	vínhamos	viremos	viéramos
vêm	vieram	vinham	virão	vieram

SUBJONCTIF

Présent *	Imparfait	Futur	CONDITIONNEL
que je vienne	*que je vinsse*		*je viendrais*
venha	viesse	vier	viria
venha	viesse	vier	viria
venhamos	viéssemos	viermos	viríamos
venham	viessem	vierem	viriam

* L'impératif utilise les mêmes formes que le subjonctif présent.

13. Quelques autres verbes irréguliers

	PRESENT	PASSE SIMPLE
DAR (*donner*)	dou	dei
	dá	deu
	damos	demos
	dão	deram
FAZER (*faire*)	faço	fiz
	faz	fez
	fazemos	fizemos
	fazem	fizeram
PODER (*pouvoir*)	posso	pude
	podes	pôde
	podemos	pudemos
	podem	puderam

SABER (*savoir*)	sei	soube
	sabe	soube
	sabemos	soubemos
	sabem	souberam
VER (*voir*)	vejo	vi
	vê	viu
	vemos	vimos
	vêem	viram

REMARQUES :

Comme il a été dit en A16 le subjonctif présent et l'impératif sont construits sur la base du radical du présent de l'indicatif : **eu posso**, *je peux*; **para que eu possa**, *pour que je puisse*.

Mais : **eu dou**, *je donne* ; **para que eu dê**, *pour que je donne*, **para que ele dê**, *pour qu'il donne*, **para que demos**, *pour que nous donnions*, **para que dêem**, *pour qu'ils donnent*.

eu sei, *je sais*, **para que eu saiba**, *pour que je sache…*, **eu quero**, *je veux*, *j'aime*, **para que ele queira**, *pour qu'il veuille…*

Le plus-que-parfait de l'indicatif, les subjonctifs futur et passé se forment sur la base du radical de la première personne du passé simple :

fazer (*faire*), **fiz** (*je fis, j'ai fait*), **fizera** (*j'avais fait*), **fizesse** (*que je fisse*), **fizer** (*que je ferai*).

Le futur et le conditionnel se construisent sur la base de l'infinitif auquel on ajoute les terminaisons indiquées respectivement en A12 et A7. Seuls trois verbes présentent un radical différent : *faire*, **fazer** : **far**, *dire*, **dizer** : **dir**, *apporter*, **trazer** : **trar**. (**farei**, *je ferai*, **fará**, *il fera…***diria**, *je dirais*, *il dirait…*)

14. LES CONTRACTIONS

Les articles définis (A1), les articles indéfinis (A5) et les démonstratifs (A4) peuvent se contracter à certaines prépositions.

Prépositions	**a**	**de**	**em**	**por**
o(s)	ao(s)	do(s)	no(s)	pelo(s)
a(s)	à(s)	da(a)	na(s)	pela(s)
um		dum	num	
uma		dum	numa	
este(s)		deste(s)	neste(s)	
esta(s)		desta(a)	nesta(s)	
isto		disto	nisto	
esse(s)		desse(s)	nesse(s)	
essa(s)		dessa(s)	nessa(s)	
isso		disso	nisso	
aquele(s)	àquele(s)	daquele(s)	naquele(s)	
aquela(s)	àquela(s)	daquela(s)	naquela(s)	
aquilo		daquilo	naquilo	

➡ **REMARQUE : à(s)**, *à*, *aux*, **àquele(s)** *à ce, à cet, à ces…*, **àquela(s)**, *à cette, à ces…*, sont les seuls mots de la langue portugaise qui portent un accent grave.

a gente, *on*
a prazo, *à crédit*
à vista, *au comptant*
abacaxi / ananás, *ananas*
aborrecido-chato, *ennuyeux*
abril, *avril*
abrir, *ouvrir*
abrir / aberto, *ouvrir / ouvert*
absorvente feminino, *serviette hygénique*
acabar, *teminer, finir*
ação, *action*
aceitar, *accepter*
achar, *trouver, penser que*
acidente, *accident*
acompanhamento, *accompagnement*
acontecer, *se passer (arriver)*
acordar, *réveiller*
açougue, *boucherie*
açúcar, *sucre*
adiantado, *en avance*
adoçante, *sucre artificiel*
adolescente, *adolescent*
adulto, *adulte*
aeromoça, *hôtesse de l'air*
aeroporto, *aéroport*
afilhado, *filleul*
agência, *agence*
agosto, *août*
água de coco, *eau de noix de coco*
água mineral, *eau minérale*
agüentar, *supporter, endurer*
ajudar, *aider*
albergue de juventude, *auberge de jeunesse*
alemão, *allemand*
alérgico, *allergique*
alface, *laitue*
algodão, *coton*
algodão doce, *barbe à papa*
alho, *ail*
almoço, *déjeuner*
almôndega, *boulettede viande*
alta, *hausse*
alto, *grand*
alugar, *louer*
aluguel, *location*
amanhã, *demain*
amarelo, *jaune*
amassar, *froisser (se)*

ambulância, *ambulance*
ameixa, *prune*
amendoim, *cacahouète*
amigo, *ami*
amplo / largo, *large*
andar, *marcher, étage*
anteontem, *avant hier*
antes, *avant*
ao vivo, *en direct*
aos quadrados, *à carreaux*
apartamento, *appartement*
apertado, *serré*
aproveitar, *profiter*
aqui, *ici*
aquilo, *cela*
ar, *air, air conditionné*
área de serviço, *buanderie*
areia, *sable*
armário, *armoire*
arquibancada, *gradin*
arrepio, *frisson*
arroz, *riz*
arte, *art*
às bolas, *à pois*
assado, *rôti*
assalto, *agression*
assento, *fauteuil, siège*
assinante, *abonné*
assinar / assinatura, *s'abonner / abonnement*
assinar / assinatura, *signer / signature*
assistir, *regarder (la TV)*
até, *jusqu'à*
atender, *répondre (au tel.)*
atrás, *derrière*
atrasado, *en retard*
atraso, *retard*
austríaco, *autrichien*
avenida, *avenue*
avó, *grand-mère*
avô, *grand-père*
avós, *grand-parents*
azeite, *huile d'olive*
azul, *bleu*

babá, *nounou*
bacon, *lard*
bagagem, *bagage*
baile, *bal*
bairro, *quartier*

baixa, *baisse*
baixo, *petit / bas*
balcão, *guichet*
banana, *banane*
banca de jornais, *kiosque à journaux*
banco, *banque*
banda, *groupe (de musique)*
band-aid, curativo, *pansement*
bandeira, *drapeau*
banho (quarto de), *salle de bain*
banho, *bain, douche*
baralho, *jeu de cartes*
barato, *bon marché*
barbatanas, *palmes*
barco, *bateau*
barraca, *baraque*
barriga, *ventre*
barroco, *baroque*
barulho, *bruit*
bastante, *assez*
bateria, *percussion*
bebé, *bébé*
beber, *boire*
bebida, *boisson*
beleza, *beauté*
belga, *belge*
bem passada, *bien cuite*
bermuda *bermuda*
bíblia, *bible*
bicha, *homosexuel excentrique*
bicicleta, *bicyclette*
biquíni, *bikini*
bispo, *évêque*
blusa, *chemisier*
boa noite, *bonsoir*
boca, *bouche*
bochecha, *joue*
boi / rés, *bœuf*
bola, *ballon*
bolinho, *boulette*
bolo, *gâteau*
bolsa, *sac*
bom, *bon*
bonde, *tramway*
bonito-lindo, *beau*
borracha, *caoutchouc*
braço, *bras*
branco, *blanc*
brasileiro, *brésilien*
brecar, frear, *freiner*

brincar, *jouer, s'amuser*
brinquedo, *jouet*
bronzeador, *crème solaire*
bumbum(famiier), *fesses*
bunda (argot), *fesses*

cabeça, *tête*
cabelos, *cheveux*
cachaça, *eau de vie*
cadê, *où*
cadeira, *chaise*
café da manhã, *petit déjeuner*
cafezinho, *petit café*
cais, *quai*
caixa, *caissier*
caixa, *caisse*
caixa automático, *distributeur automatique*
caixa do correio, *boite à lettres*
caixa postal, *boite postale*
calça, *pantalon*
calor, *chaleur*
cama, *lit*
camarão, *crevette*
camarão seco, *crevette sèche*
camarote, *loge*
cambiar / trocar, *changer (de l'argent)*
câmbio, *change*
caminhão, *camion*
caminhar / andar, *marcher*
camisa, *chemise*
camiseta, *tee-shirt*
camisinha, *présevatif*
campeão – campeã, *champion (ne)*
campo, *terrain*
cana de açúcar, *canne à sucre*
canal, *chaîne (TV)*
cancelar, *annuler*
cansado, *fatigué*
cantar, *chanter*
cardápio / menu, *menu*
carioca, *habitant de Rio de Janeiro*
carnaval, *carnaval*
carne, *viande*
carneiro, *mouton*
cara, rosto, *visage*
caro, *cher*
carregar(a bagagem), *porter (les bagages)*

carro, *voiture*
carro alegórico, *char (allégorique)*
carta, *lettre*
cartão de crédito, *carte de crédit*
cartão de embarque, *carte d'embarquement*
cartão postal, *carte postale*
cartão telefônico, *carte de téléphone*
cartãozinho, *carte de visite*
carteira de identidade, *carte d'identité*
carteira de motorista, *permis de conduire*
casa, *maison*
casado / casada, *marié(e)*
casarão, *demeure*
cash, *argent liquide*
casquinhas de siri, *coquilles de crabe*
castanha de caju, *noix de cajou*
católico, *catholique*
cebola, *oignon*
cedo, *tôt*
celular, *téléphone portable*
cem, *cent*
centro, *centre-ville*
CEP, *code postal*
cereais, *céréales*
cérebro, *cerveau*
cerveja, *bière*
céu, *ciel*
chá, *tisane, thé*
chamadas locais, *appels locaux*
chamar, *appeler*
chamar-se, *appeler (s')*
chapa (na), *grillé(sur une plaque)*
chato, *ennuyeux*
chave, *clef*
chegada, *arrivée*
chegar, *arriver*
cheque, *chèque*
cheque de viagem, *chèque de voyage*
chinelo, *tong, claquettes, chausson*
chope, *bière pression*
chover, *pleuvoir*
churrasco, *barbecue*
chuva, *pluie*
chuvarrada, *averse*
chuveiro, *douche*
chuvisco, *crachin*
chuvoso, *pluvieux*
cilos, *cils*

cinco, *cinq*
cinema, *cinéma*
cinqüenta, *cinquante*
cinzento, *gris*
cirurgia, *opération chirurgicale*
claro, *clair*
clima, *climat*
clínica, *clinique*
cobertor, *couverture*
coco, *noix de coco*
cofre, *coffre*
coisa, *chose*
colher, *cuillère*
com, *avec*
com destino a, *a destination de*
com licença / desculpe, *pardon*
comer, *manger*
comercial, *publicité*
comerciante, *commerçant*
comissão, *commission*
como, *comment*
companhia aérea, *compagnie aérienne*
comprido, *long*
compra, *achat*
comprar, *acheter*
compras, *courses*
compromisso, *rendez-vous*
computador, *ordinateur*
condicionador, *après-shampoing*
condomínio, *copropriété*
conhecer, *connaître*
consulta, *consultation*
consultório, *cabinet (de consultation)*
conta, *addition (note)*
contar, *compter*
contente, *content*
copa, *office*
copo, *verre*
coração, *coeur*
cor-de-laranja, *orange (couleur)*
cor-de-rosa, *rose*
cor, *couleur*
corredor, *couloir*
correio, *poste*
correr, *courir*
costas, *dos*
costumar, *avoir l'habitude de*
cotação, *cours (bourse)*
couro, *cuir*
couve, *choux*

cozido, *bouilli, ragoût*
cozinha, *cuisine*
creme, *crème*
crença, *croyance*
criança, *enfant*
cristão / cristã, *chrétien(ne)*
cruzamento, *carrefour, croisement*
culto, *culte*
cunhado, *beau-frère*
curar, *soigner*
curativo, *pansement*
curtir, *profiter*
curto, *court*
curva, *virage*
custar, *coûter*

dansar, *danser*
dar, *donner*
debate, *débat*
décimo, *dixième*
decolagem, *décollage*
dedo, *doigt*
defumado, *fumé*
deixar um recado, *laisser un message*
deixar um sinal, *verser des arrhes*
delegacia, *commissariat de police*
demais, *trop*
demorar, *durer, tarder*
dendê, *huile de palme*
dente, *dent*
dentista, *dentiste*
depois, *après*
depois de amanhã, *après-demain*
desconto, *réduction*
desculpe, *excusez moi*
desde, *depuis*
desenhar, *dessiner*
desfile, *défilé*
desligar, *éteindre (la TV, débrancher)*
desligar / pôr no gancho, *raccrocher le téléphone*
desmaiar, *évanouir (s')*
desodorizante, *déodorant*
despir-se, *déshabiller (se)*
destinatário, *destinataire*
destino, *destination*
desvalorização, *dévaluation*
deus, *dieu*
devagar, *lentement*
dez, *dix*

dezembro, *décembre*
dezenove, *dix-neuf*
dezesseis, *seize*
dezessete, *dix-sept*
dezoito, *dix-huit*
dia, *journée, jour*
dia seguinte, *lendemain*
diarréia, *diarrhée*
diário, *quotidien*
dieta, *régime*
direita, *droite*
diretor, *directeur*
dirigir, *conduire*
discar / teclar, *composer un N° de*
divorciado / divorciada, *divorcé(e)*
dizer, *dire*
dízima, *dizime*
doce, *sucré*
doença, *maladie*
doente, *malade*
dois/ duas, *deux*
dólar, *dollar*
domingo, *dimanche*
dor, *douleur*
doze, *douze*
duplo-casal, *double*
duração, *durée*
durex, *scotch, ruban adhésif*

e, *et*
economia, *économie*
ela (s), *elle (s)*
ele, *il*
eles, *ils*
elevador, *ascenseur*
em frente, *en face*
em ponto, *pile (heure)*
emergência, *urgence*
empregada, *bonne (employée de maison)*
enchaqueca, *migraine*
enchente, *inondation*
encomenda, *colis*
encomendar, *passer une commande*
encontrar, *trouver*
endereço, *adresse*
enfermeira, *infirmière*
engarrafamento, *embouteillage*
engenheiro, *ingénieur*
engenho, *moulin à sucre*
engraçado, *amusant*

138

enjôo, *nausée*
enredo, *thème* (carnaval)
ensolarado, *ensoleillé*
entrada, *entrée*
entrar, *entrer*
entrega, *livraison*
entregar, *livrer*
entrevista, *interview*
envelope, *enveloppe*
enviar / mandar, *envoyer*
escalas, *escales*
escola, *école*
escola de samba, *école de samba*
escravo, *esclave*
escrever, *écrire*
escuro, *foncé, sombre*
escutar, *écouter*
esfriar, *refroidir*
esmeralda, *émeraude*
esperar, *attendre*
espetáculo, *spectacle*
espeto, *broche (barbecue)*
esporte, *sport*
esposo, *époux*
esquentar, *chauffer*
esquerda, *gauche*
esquina, *coin*
estação rodoviária, *gare routière*
estacionamento, *garage*
estacionar, *garer (se)*
estação, *saison*
estar, *être*
estar de pé, *être debout*
estar deitado, *être couché*
estar fora de moda, *ne pas être à la mode*
estar na moda, *être à la mode*
estar sentado, *être assis*
este, *ce, cet*
estômago, *estomac*
estrela, *étoile*
estudante, *étudiant*
eu, *je*
euro, *euro*
evangelista, *évangéliste*
excelente, *excellent*
experimentar, *essayer*

faca, *couteau*
fácil, *facile*

falar, *parler*
família, *famille*
farinha, *farine*
farmácia, *pharmacie*
faxineira, *femme de ménage*
fazenda, *propriété rurale*
fazer, *faire*
fé, *foi*
febre, *fièvre*
fechar / fechado, *fermer / fermé*
feijão, *haricot sec*
feriado, *jour férié*
férias, *vacances*
ferido, *blessé*
ferir, *blesser*
ferver, *bouillir*
festa, *fête*
fevereiro, *février*
ficar, *rester*
ficha, *jeton, ticket*
fila, *file d'attente*
filha, *fille*
filho, *fils*
finir, *acabar*
fiscalizar, *contrôler*
fita, *ruban*
fita, *cassette*
fitness center, *salle de sport*
folha, *feuille*
folheado, *feuilleté*
fome, *faim*
francês, *français*
frango, *poulet*
frear, brecar, *freiner*
freqüente, *fréquent*
frio, *froid*
frita, *frite*
fritar, *frire*
fronteira, *frontière*
frutos do mar, *fruits de mer*
funcionar, *fonctionner*
futebal, *football*

galera, *bande (de copains)*
garçom, *garçon de café, serveur*
garfo, *fourchette*
garrafa, *bouteille*
gastar, *dépenser*
gazolina, *essence*
geladeira- frigobar, *réfrigérateur*

gelado / gelada, *frais / fraîche*
geléia, *confiture*
gelo, *glaçon*
gema de ovo, *jaune d'œuf*
gente, *gens*
gerador, *groupe électrogène*
geral, *général*
goiaba, *goiave*
gol, *but*
gordo, *gros*
gorjeta, *pourboire*
gostar de, *aimer*
gosto, *goût*
governador, *gouverneur*
grama, *gramme*
grampeador, *agrafeuse*
grau, *degré*
gravar, *enregistrer*
grávida, *enceinte*
grelhado, *grillé*
gripe, *grippe*
guarda, *agent de police*
guardanapo, *serviette*
guarda-sol, *parassol*
guia, *guide*
guichê / balcão *guichet*
guloso, *gourmand*

há, *il y a*
haver, *avoir*
hoje, *aujourd'hui*
hora, *heure*
hospital, *hôpital*

ibope, *audimat*
idoso / idosa, *agé(e)*
igreja, *église*
importante, *important*
imprensa, *presse*
incluído, *inclus*
indicar, *indiquer*
inferno, *enfer*
inflação, *inflation*
ingresso, *billet (entrée)*
injeição, *injection*
interessante, *intéressant*
interestaduais, DDD, *appels inter-états*
interior, *campagne*
inverno, *hiver*

ir, *aller*
ir embora, *partir*
irmã, *sœur*
irmão, *frère*
isopôr, *thermos*
isso / aquilo, *cela*
isto, *ceci*
italiano, *italien*

já, *déjà*
jacaré, *caïman*
janeiro, *janvier*
janela, *fenêtre, hublot*
jantar, *dîner*
japonês, *japonais*
jardim, *jardin*
jeito, *moyen, truc*
jogar, *jouer*
jogo, *match*
jóia, *bijoux*
jornal, *journal*
jornal, *JT*
jornalista, *journaliste*
jovem, *jeune*
judéu / judia, *juif / juive*
julho, *juillet*
junho, *juin*

lã, *laine*
lábio, *lèvre*
lado, *côté*
lago, *lac*
lagoa, *lagune*
lagosta, *langouste*
lanche, *casse croûte, goûter*
laranja, *orange (fruit)*
lata, *boite (conserve)*
lavagem, *lavage*
lazer, *loisir*
legume, *légume*
leite, *lait*
lençol, *drap*
ler, *lire*
levar, *emporter*
ligar, *allumer (la TV)*
ligar a cobrar, *appeler en PCV*
light, *allégé, sans sucre*
limão, *citron*
língua, *langue*
lingüiça, *saucisse*

linho, *lin*
liquidações, *soldes*
liso, *uni*
lista telefônica, *annuaire*
loja de departamentos, *grand magasin*
loja, butique, *magasin, boutique*
longe, *loin*
lotado, *complet (plein)*
louro, *laurier*
lugar, *endroit, lieu*
lula, *calamar*

maçã, *pomme*
madrinha, *maraine*
mãe, *mère*
magnífico, *magnifique*
magro, *maigre*
maio, *mai*
maiô, *maillot de bain (1 pièce)*
maior, *plus grand*
mais, *plus*
mal passada, *à point*
mala, *valise*
mamão, *papaye*
manchete, *une (la)*
mandar, *envoyer*
mandioca, *manioc*
manga, *mangue*
manhã, *matin*
manteiga, *beurre*
mas, *mais*
mão, *main*
mão única, *sens interdit*
mapa, *plan, carte*
mar, *mer*
maracujá, *fruit de la passion*
março, *mars*
marido, *mari*
mariscos, *crustacés*
marrom / castanha, *marron*
mas, *mais*
massa, *pâte*
mau, *méchant*
médico, *médecin*
meia noite, *minuit*
meia-pensão, *demie-pension*
meias, *chaussettes*
meio, *demi*
meio de transport, *moyen de transport*
meio dia, *midi*

mel, *miel*
melancia, *pastèque*
melhor, *meilleur*
menor, *plus petit, mineur*
mensal, *mensuel*
mergulho, *plongée (sous marine)*
mês, *mois*
mesa, *table*
mesmo, *même, vraiment*
mesquita, *mosquée*
metrô, *métro*
mídia, *médias*
milho, *maïs*
ministro, *ministre*
minuto, *minute*
missa, *messe*
misto quente, *croque-monsieur*
mobília, *mobilier*
mobiliado, *meublé*
moça, *jeune fille*
mochila, *sac à dos*
moço, *jeune homme, serveur*
modelo, *modèle*
moeda, *pièce (de monnaie)*
moleque, *garnement*
molho, *sauce*
molho acebolado, *sauce à l'oignon*
montanha, *montagne*
morango, *fraise*
morar, *habiter*
morrer / falecer, *mourir*
morro, *morne*
motorista, *chauffeur*
móvel, *meuble*
muçulmano, *musulman*
mudar, *changer*
muito, *très, beaucoup*
mulâtre, *mulato*
mulher, *femme*
multa, *amende*
muséu, *musée*
música, *musique*

nada, *rien*
nadar, *nager*
nádegas, *fesses*
não, *non*
não fumante, *non fumeur*
nariz, *nez*
nascer, *naître*

neblina, *brouillard*
negro, *noir (race)*
neve, *neige*
noite, *nuit*
noite, *soir*
nome, *prénom*
nono, *neuvième*
norte, *nord*
nós, *nous*
nota / cédula, *billet (argent)*
notícias, *informations*
nove, *neuf*
novembro, *novembre*
noventa, *quatre-vingt-dix*
novo, *nouveau,neuf, jeune*
nublado, *nuageux*
número, *numéro*
número errado, *faux numéro*
(*téléphone*)
nuvem, *nuage*

obedecer, *obéir*
obras, *travaux*
obrigado/ obrigada, *merci*
óculos, *lunettes*
ocupado, *occupé*
oeste, *ouest*
oi, *salut*
oitavo, *huitième*
oitenta, *quatre-vingt*
oito, *huit*
óleo, *huile*
olfato, *odorat*
olho, *oeil*
onda, *vague*
onde/ cadê, *où*
ônibus, *bus*
ônibus, *autocar, autobus*
ontem, *hier*
onze, *onze*
oportunidade, *occasion*
orelhão, *cabine téléphonique*
orelha, *oreille*
ortodoxo, *orthodoxe*
osso, *os*
ótimo, *excellent*
outono, *automne*
outubro, *octobre*
ouvido, *ouïe*
ouvir, *entendre*

ovo, *œuf*
padre, *prêtre*
padrinho, *parrain*
pagar, *payer*
página, *page*
pai, *père*
pais, *parents (père et mère)*
pálpera, *paupière*
pão, *pain*
paquerar, *draguer*
para, *pour, à*
paraíso, *paradis*
parar, *arrêter*
parentes, *parents, la famille*
parque, *jardin public*
particular, *privé*
passado / passada,   *passé(e)*
passagem, *billet (transport)*
passaporte, *passeport*
passear, *promener (se)*
pato, *canard*
pé, *pied*
pedágio, *péage*
pedir, *demander (quelque chose)*
pedra semi-preciosa, *pierre semi-précieuse*
pegar, *prendre (un transport)*
peito, *poitrine*
peixe, *poisson*
pele, *peau*
pensão completa, *pension complète*
pepino, *concombre*
pêra, *poire*
percentagem, *pourcentage*
perder
perfume, *parfum, rater*
perguntar, *poser une question*
periféria, *périphérie, banlieue*
perigoso, *dangereux*
perna, *jambe*
perto, *près*
peru, *dinde*
pesar, *peser*
pesca, *pêche*
pescar, *pêcher*
pessoa, *personne*
picolé, *esquimau* (glace)
pimenta, *piment*
pimentão, *poivron*
pior, *pire*
pipoca, *pop-corn*

piscina, *piscine*
pitada, *pincée*
placa, *panneau (routier)*
planalto, *plateau*
plus, *mais*
pneu, *pneu*
poder, *pouvoir*
polonês, *polonais*
polpa, *pulpe*
poltrona, *fauteuil*
ponto de ônibus, *arrêt de bus*
pontualidade, *ponctualité*
por favor, *s'il vous plait*
por que, *pourquoi*
porco, *porc*
porta, *porte*
porteiro, *gardien (d'immeuble)*
português, *portugais*
possível, *possible*
pouco, *peu*
pouso / aterrissagem, *atterrissage*
praça, *place*
praia, *plage*
prato, *assiette*
pratos, *plats*
preço, *prix*
prédio, *bâtiment, immeuble*
preencher o formulário, *remplir le formulaire*
prefeito, *maire*
prefeitura, *mairie*
prefixo, *code (téléphone)*
prender, *emprisonner, attacher, lier*
prestação, *traite*
presunto, *jambon*
preto, *noir (couleur)*
primaveira, *printemps*
primeiro, *premier*
primo, *cousin*
problema, *problème*
procediente de, *en provenance de*
procissão, *procession*
professor, *professeur*
programa, *émission*
proibido, *interdit*
protestante, *protestant*
protetor, bronzeador, *crème solaire*
provar, *essayer*
provável, *probable*
próximo, *prochain*

pular, *danser (carnaval de Salvador)*

quadra, *pâté de maison*
quadra, *terrains de sport*
quando, *quand*
quanto, *combien*
quarenta, *quarante*
quarta-feira, *mercredi*
quarto, *quart, quatrième*
quarto / apartamento, *chambre*
quatorze, *quatorze*
quatro, *quatre*
queijo, *fromage*
queixo, *menton*
quente, *chaud*
querer, *vouloir*
quiabo, *gombo*
quilômetro, *kilomètre*
quinta, fazenda, sítio, *maison rurale*
quinta-feira, *jeudi*
quinto, *cinquième*
quinze, *quinze*

rádio, *radio*
raio, *éclair*
raqueta, *raquette*
receber, *recevoir*
receita, *ordonnance*
recheados, *pâtés en croûte*
recibo, *reçu*
rede, *hamac*
refeições, *repas*
refrigerante, *soda*
região, *région*
relógio, *montre*
remédio, *médicament*
remetente, *expéditeur*
renda, *dentelle*
reservar / a reserva, *réserver / la réservation*
restaurante, *restaurant*
revista, *revue*
rezar, *prier*
rico, *riche*
rins, *reins*
rio, *fleuve, rivière*
risca, *rayure*
rosto , cara, *visage*
roubar / roubado, *voler / volé*
rua, *rue*

ruim, *mauvais*

sábado, *samedi*
saber, *savoir*
sacada, *balcon*
saia, *jupe*
saída, *sortie, départ*
sair, *sortir, partir*
sal, *sel*
sala (de estar), *salon*
sala de jantar, *salle à manger*
salada, *salade*
salão de festas, *salle des fêtes*
saltar, *descendre (d'un bus)*
sambar, *danser la samba*
sangue, *sang*
sapatos, *chaussures*
sarar, *guérir*
saúde, *santé*
sauna, *sauna*
sé, *cathédrale*
seca, *sécheresse*
seco, *sec*
secretária, *secrétaire*
secretária eletrônica, *répondeur*
século, *siècle*
sede, *soif*
seguinte, *suivant*
segunda-feira, *lundi*
segundo, *deuxième*
segurança, *vigile, sécurité*
seio, *sein*
seis, *six*
selo, *timbre*
sem, *sans*
semana, *semaine*
semanal, *hebdomadaire*
sempre, *toujours*
sentar-se, *asseoir (s')*
sentidos, *sens*
ser / estar, *être*
serra, *chaîne de montagne*
serviço, *service*
servir, *servir*
sessenta, *soixante*
sete, *sept*
setembro, *septembre*
setenta, *soixante-dix*
sétimo, *septième*
sexta-feira, *vendredi*

sexto, *sixième*
shopping, *centre commercial*
short, *short*
show, *concert*
simpático, *sympathique*
sinal aberto, *feu vert*
sinal fechado, *feu rouge*
siri, *crabe*
sobrancelha, *sourcil*
sobremesas, *desserts*
sobrenome, *nom*
sobrinha, *nièce*
sobrinho, *neveu*
sofá, *canapé*
sogra, *belle mère*
sogro, *beau père*
sol, *soleil*
solteiro, *célibataire*
solteiro, *simple*
sono, *sommeil*
sopa, *soupe*
sorvete, *glace (dessert)*
subúrbio, *banlieue*
suco de fruta, *jus de fruit*
suísso, *suisse*
sul, *sud*
super, *ótimo*
supermercado, *supermarché*
surfe, *surf*

talão de cheque *chéquier*
talvez, *peut-être*
tamanho, *taille, mesure, pointure*
também, *aussi*
tarde, *après-midi*
tato, *toucher (le)*
taxa, *taux, taxe*
taxa de embarque, *taxe d'embarquement*
taxa de serviço, *taxe de service*
taxi, *taxi*
tchau, *au revoir, salut*
teclar, *composer un N° de tel.*
telefonar / ligar, *téléphoner*
telefone, *téléphone*
televisão, *télévision*
telinha, *petit écran*
tem, *il y a*
temperatura, *température*
temperos, *aromates*

tempo, *temps*
temporal, *orage*
tênis, *tennis*
ter que, *devoir*
ter/ haver, *avoir*
terça-feira, *mardi*
terceiro, *troisième*
terno, *costume*
tia, *tante*
time, *équipe*
tio, *oncle*
tirar, *enlever*
tirar do gancho, *décrocher le téléphone*
toalha de banho, *serviette de bain*
toalha de mesa, *nappe*
tocar, *jouer* (musique)
tomar, *prendre*
tomate, *tomate*
torcedor, *supporter (un)*
torcer, *supporter*
torresmo, *lardon frit*
tosser, *tousser*
toucinho, bacon, *lard*
trabalhar, *travailler*
tranqüilo, *tranquille*
transeunte, *piéton*
trânsito, *circulation*
transportes interurbanos, *transports interurbains*
traseiro, *de l'arrière, les fesses*
travesseiro, *oreiller*
trazer, *apporter*
trem, *train*
três, *trois*
treze, *treize*
trilha, *randonnée*
trinta, *trente*
tripulação, *équipage*
trocar, *changer, échanger*
troco, *monnaie (petite)*
trovoada, trovão, *tonnerre*
túnel, *tunnel*
turista, *touriste*
TV a cabo, *TV à cable*

ucraniano, *ukrainien*
ultrapassar, *doubler*
um, *un*
umidade, *humidité*
úmido, *humide*

usado, de segunda mão, *occasion (d')*
uva, *raisin*

vaga, *place de parking, dans un transport*
velocidade, *vitesse*
vendedor, *vendeur*
vender, *vendre*
vento, *vent*
ventoso, *venteux*
ver, *voir*
verão, *été*
verdade, *vérité*
verdade, *vrai*
verde, *vert*
vereador, *conseiller municipal*
vermelho, *rouge*
véspera, *veille (la)*
vestido, *robe*
vestir, *porter (vêtement)*
vestir-se, *habiller (s')*
vez, *fois*
viagem, *voyage*
viajar, *voyager*
vinho branco, *vin blanc*
vinho tinto, *vin rouge*
vinte, *vingt*
violão, *guitare*
vir, *venir*
virar, *débrouiller (se)*
virar, *tourner*
visitar, *visiter*
vista, *vue*
vitela, *veau*
vitrine, *vitrine*
viúvo/ viúva, *veuf / veuve*
você, *tu*
vocês, *vous*
vomitar, *vomir*
vontade, *envie*
vôo, *vol*
vôo doméstico, *vol intérieur*
xerox, *photocopie*

xícara, *tasse*

s'abonner / abonnement, **assinar /**
assinatura
à carreaux, **aos quadrados**
à crédit, **a prazo**
a destination de, **com destino a**
à point, **mal passada**
à pois, **às bolas**
abonné, **assinante**
accepter, **aceitar**
accident, **acidente**
accompagnement, **acompanhamento**
achat, **compra**
acheter, **comprar**
action, **ação**
addition (note), **conta**
adolescent, **adolescente**
adresse, **endereço**
adulte, **adulto**
aéroport, **aeroporto**
agé(e), **idoso / idosa**
agence, **agência**
agent de police, **guarda**
agrafeuse, **grampeador**
agression, **assalto**
aider, **ajudar**
ail, **alho**
aimer, **gostar de**
air conditionné, **ar**
allégé, **light**
allemand, **alemão**
aller, **ir**
allergique, **alérgico**
allumer (la TV), **ligar**
ambulance, **ambulância**
amende, **multa**
ami, **amigo**
amusant, **engraçado**
ananas, **abacaxi / ananás**
annuaire, **lista telefônica**
annuler, **cancelar**
août, **agosto**
appartement, **apartamento**
appeler, **chamar**
appeler (s'), **chamar-se**
appeler en PCV, **ligar a cobrar**
appel inter-états, **chamada interesta-**
dual, DDD
appel local, **chamada local**
apporter, **trazer**
après, **depois**

après-shampoing, **condicionador**
après-demain, **depois de amanhã**
après-midi, **tarde**
argent liquide, **cash**
armoire, **armário**
aromates, **temperos**
arrêt de bus, **ponto de ônibus**
arrêter, **parar**
arrhes, **sinal**
arrivée, **chegada**
arriver, **chegar**
art, **arte**
ascenseur, **elevador**
asseoir (s'), **sentar-se**
assez, **bastante**
assiette, **prato**
attacher, **prender**
attendre, **esperar**
atterrissage, **pouso / aterrissagem**
au comptant, **à vista**
au revoir, salut, **tchao**
auberge de jeunesse, **albergue de**
juventude
audimat, **ibope**
aujourd'hui, **hoje**
aussi, **também**
autobus, **ônibus**
autocar, **ônibus**
automne, **outono**
autrichien, **austríaco**
avant, **antes**
avant hier, **anteontem**
avec, **com**
avenue, **avenida**
averse, **chuvarrada**
avoir, **ter/ haver**
avoir l'habitude de, **costumar**
avril, **abril**

bagage, **bagagem**
bain, **banho**
baixa, **baisse**
bal, **baile**
balcon, **sacada**
ballon, **bola**
banane, **banana**
bande (de copains), **galera**
banlieue, **subúrbio, periferia**
banque, **banco**
baraque, **barraca**

barbecue, **churrasco**
barbe à papa, **algodão doce**
baroque, **barroco**
bateau, **barco**
bâtiment, **prédio**
beau, **bonito-lindo**
beau père, **sogro**
beaucoup, **muito**
beau-frère, **cunhado**
beauté, **beleza**
bébé, **bebé**
belge, **belga**
belle mère, **sogra**
bermuda, **bermuda**
beurre, **manteiga**
bible, **bíblia**
bicyclette, **bicicleta**
bien cuite, **bem passada**
bière, **cerveja**
bière pression, **chope**
bijoux, **joias**
bikini, **biquíni**
billet (argent), **nota / cédula**
billet (entrée), **ingresso**
billet (transport), **passagem**
blanc, **branco**
blessé, **ferido**
blesser, **ferir**
bleu, **azul**
bœuf, **boi / rés**
boire, **beber**
boissons, **bebidas**
boite (conserve), **lata**
boite à lettres, **caixa do correio**
boite postale, **caixa postal**
bon, **bom**
bon marché, **barato**
bonne, **empregada**
bonsoir, **boa noite**
bouche, **bocal**
boucherie, **açougue**
bouillie, **cozida**
bouillir, **ferver**
boulette, **bolinho, almôndega**
bouteille, **garrafa**
boutique, magasin, **loja, butique**
bras, **braço**
brésilien, **brasileiro**
broche (barbecue), **espeto**
brouillard, **neblina**

bruit, **barulho**
buanderie, **área de serviço**
bus, **ônibus**
but, **gol**

cabine téléphonique, **orelhão**
cabinet (de consultation), **consultório**
cacahouète, **amendoim**
caïman, **jacaré**
caisse, **caixa**
caissier, **caixa**
calamar, **lula**
camion, **caminhão**
campagne, **interior**
canapé, **sofá**
canard, **pato**
canne à sucre, **cana de açúcar**
caoutchouc, **borracha**
carnaval, **carnaval**
carrefour, **cruzamento**
carte (géo), **mapa**
carte de crédit, **cartão de crédito**
carte d'embarquement, **cartão de embarque**
carte d'identité, **carteira de identidade**
cartes à jouer, **baralho**
carte postale, **cartão postal**
carte de téléphone, **cartão telefônico**
carte de visite, **cartãozinho**
casse croûte, **lanche**
cassette, **fita**
cathédrale, **sé**
catholique, **católico**
ceci, **isto**
cela, **isso / aquilo**
célibataire, **solteiro**
cent, **cem**
centre commercial, **shopping**
centre-ville, **centro**
céréales, **cereais**
cerveau, **cérebro**
chaîne(TV), **canal**
chaîne de montagne, **serra**
chaise, **cadeira**
chaleur, **calor**
chambre, **quarto**
champion (ne), **campeão – campeã**
change, **câmbio**
changer, **trocar, mudar**
changer (de l'argent), **cambiar / trocar**

changer (se), **mudar de roupa**
chanter, **cantar**
char (allégorique), **carro alegórico**
chaud, **quente**
chauffer, **esquentar**
chauffeur, **motorista**
chaussettes, **meias**
chaussures, **sapatos**
chemise, **camisa**
chemisier, **blusa**
chèque, **cheque**
chèque de voyage, **cheque de viagem**
chéquier, **talão de cheque**
cher, **caro**
cheveux, **cabelos**
chose, **coisa**
choux, **couve**
chrétien(ne), **cristão / cristã**
ciel, **céu**
cils, **cilos**
cinéma, **cinema**
cinq, **cinco**
cinquième, **quinto**
cinquante, **cinqüenta**
circulation, **trânsito**
citron, **limão**
clair, **claro**
clef, **chave**
climat, **clima**
clinique, **clínica**
code (téléphone), **prefixo**
code postal, **CEP**
cœur, **coração**
coffre, **cofre**
coin, **esquina, canto**
colis, **encomenda**
combien, **quanto**
comment, **como**
commerçant, **comerciante**
commissariat de police, **delegacia**
commission, **comissão**
compagnie aérienne, **companhia aérea**
complet (plein), **lotado**
composer un N° de tel., **teclar**
composer un N° de, **discar / teclar**
compter, **contar**
concert, **show**
concombre, **pepino**
conduire, **dirigir**
confiture, **geléia**

connaître, **conhecer**
conseiller municipal, **vereador**
consultation, **consulta**
content, **contente**
conter, **contar**
contrôler, **fiscalizar**
copropriété, **condomínio**
coquille de crabe, **casquinha de siri**
costume, **terno**
côté, **lado**
coton, **algodão**
couleur, **cor**
couloir, **corredor**
courir, **correr**
cours (bourse), **cotação**
courses, **compras**
court, **curto**
cousin, **primo**
couteau, **faca**
coûter, **custar**
couverture, **cobertor**
crabe, **siri**
crachin (météo), **chuvisco**
crème, **creme**
crème solaire, **protetor, bronzeador**
crevette, **camarão**
crevette sèche, **camarão seco**
croisement, **cruzamento**
croque-monsieur, **misto quente**
croyance, **crença**
crustacés, **mariscos**
cuillère, **colher**
cuir, **couro**
cuisine, **cozinha**
culte, **culto**

dangereux, **perigoso**
danser, **dansar**
danser (carnaval de Salvador), **pular**
danser la samba, **sambar**
débat, **debate**
débrancher, **desligar**
débrouiller (se), **virar(se)**
décembre, **dezembro**
décollage, **decolagem**
décrocher le téléphone, **tirar do gancho**
défilé, **desfile**
degré, **grau**
déjà, **já**
déjeuner, **almoço**

demain, **amanhã**
demander (quelque chose), **pedir**
demeure, **casarão**
demie, **meio**
demie-pension, **meia-pensão**
dent, **dente**
dentelle, **renda**
dentiste, **dentista**
déodorant, **desodorizante**
départ, **saída**
dépenser, **gastar**
depuis, **desde**
derrière, **atrás**
descendre (d'un transport) , **saltar**
déshabiller (se), **despir-se**
dessert, **sobremesa**
dessiner, **desenhar**
destinataire, **destinatário**
destination, **destino**
*deux,***dois/ duas**
deuxième, **segundo**
dévaluation, **desvalorização**
devoir, **ter que**
diarrhée, **diarréia**
dieu, **deus**
dimanche, **domingo**
dinde, **peru**
dîner, **jantar**
dire, **dizer**
directeur, **diretor**
distributeur automatique, **caixa automático**
divorcé(e), **divorciado / divorciada**
dix, **dez**
dix-huit, **dezoito**
dixième, **décimo**
dix-neuf, **dezenove**
dix-sept, **dezessete**
dizime, **dízima**
doigt, **dedo**
dollar, **dólar**
donner, **dar**
dos, **costas**
double, **duplo-casal**
doubler, u**ltrapassar**
douche, **chuveiro, banho**
douleur, **dor**
douze, **doze**
draguer, **paquerar**
drap, **lençol**

drapeau, **bandeira**
droite, **direita**
durée, **duração**
durer, **demorar**

eau de noix de coco, **água de coco**
eau de vie, **cachaça**
eau minérale, **água mineral**
éclair, **raio**
école, **escola**
école de samba, **escola de samba**
économie, **economia**
écouter, **escutar**
écrire, **escrever**
église, **igreja**
elle (s), **ela (s)**
embouteillage, **engarrafamento**
émeraude, **esmeralda**
émission, **programa**
emporter, **levar**
emprisonner, **prender**
en avance, **adiantado**
en direct, **ao vivo**
en face, **em frente**
en provenance de, **procediente de**
en retard, **atrasado**
enceinte, **grávida**
endroit, lieu, **lugar**
endurer, **agüentar**
enfant, **criança**
enfant (fils), **filho**
enfer, **inferno**
enlever, **tirar**
ennuyeux, **aborrecido-chato**
enregistrer, **gravar**
ensoleillé, **ensolarado**
entendre, **ouvir**
entrée, **entrada**
entrée (billet), **ingresso**
entrer, **entrar**
enveloppe, **envelope**
envie, **vontade**
envoyer, **enviar / mandar**
époux, **esposo**
équipage, **tripulação**
équipe, **time**
escale, **escala**
esclave, **escravo**
esquimau (glace), **picolé**
essayer, **experimentar, provar**

essence, gazolina
est, este
estomac, estômago
et, e
étage, andar
été, verão
éteindre (la TV), desligar
étoile, estrela
être, ser / estar
être à la mode, estar na moda
être assis, estar sentado
être couché, estar deitado
être debout, estar de pé
étudiant, estudante
euro, euro
évangéliste, evangelista
évanouir (s'), desmaiar
évêque, bispo
excellent, excelente, ótimo
excusez moi, desculpe
expéditeur, remetente

facile, fácil
faim, fome
faire, fazer
famille, família
farine, farinha
fatigué, cansado
fauteuil, poltrona
faux numéro (téléphone), número errado
femme, mulher
femme de ménage, faxineira
fenêtre, janela
fermer, fechar
fermer / fermé, fechar / fechado
fesses, nádegas, trazeiro bumbum
fête, festa
feu rouge, sinal fechado
feu vert, sinal aberto
feuille, folha
feuilletés, folheados
février, fevereiro
fièvre, febre
file d'attente, fila
fille, filha
filleul, afilhado
fils, filho
finir, acabar
fleuve, rio

foi, fé
fois, vez
foncé, escuro
fonctionner, funcionar
football, futebol
fourchette, garfo
frais / fraîche, gelado / gelada
fraise, morango
français, francês
freiner, frear, travar
fréquent, freqüente
frère, irmão
frire, fritar
frisson, arrepio
frite, frita
froid, frio
froisser (se), amassar
fromage, queijo
frontière, fronteira
fruit de la passion, maracujá
fruits de mer, frutos do mar / mariscos
fumé, defumado

garage, estacionamento
garçon de café, serveur, garçom
gardien (d'immeuble), porteiro
gare routière, estação rodoviária
garer (se), estacionar
garnement, moleque
gâteau, bolo
gauche, esquerda
général, geral
gens, gente
glace (dessert), sorvete
glaçon, gelo
goiave, goiaba
gombo, quiabo
gourmand, guloso
goût, gosto
goûter, lanche
gouverneur, governador
gradin, arquibancada
gramme, grama
grand, alto
grand magasin, loja de departamentos
grand-mère, avó
grand-parents, avós
grand-père, avô

grillé(sur une plaque), **chapa (na)**
grillée, **grelhada**
grippe, **gripe**
gris, **cinzento**
gros, **gordo**
groupe électrogène, **gerador**
groupe (de musique), **banda**
guérir, **sarar**
guichet, **guichê / balcão**
guide, **guia**
guitare, **violão**

habiller (s'), **vestir-se**
habitant de Rio de Janeiro, **carioca**
habiter, **morar**
hamac, **rede**
haricot sec, **feijão**
hausse, **alta**
hebdomadaire, **semanal**
heure, **hora**
hier, **ontem**
hiver, **inverno**
homosexuel excentrique, **bicha**
hôpital, **hospital**
hotesse de l'air, **aeromoça**
hublot, **janela**
huile, **óleo**
huile d'olive, **azeite**
huile de palme, **dendê**
huit, **oito**
huitième, **oitavo**
humide, **úmido**
humidité, **umidade**

ici, **aqui**
il, **ele**
il y a, **tem / há**
ils, **eles**
immeuble, **prédio**
important, **importante**
inclu, **incluído**
indiquer, **indicar**
infirmière, **enfermeira**
inflation, **inflação**
informations, **notícias**
ingénieur, **engenheiro**
injection, **injeição**
inondation, **enchente**
interdit, **proibido**
intéressant, **interessante**

interview, **entrevista**
italien, **italiano**

jambe, **perna**
jambon, **presunto**
janvier, **janeiro**
japonais, **japonês**
jardin, **jardim**
jardin public, **parque**
jaune, **amarelo**
jaune d'œuf, **gema de ovo**
je, **eu**
jeton, **ficha**
jeu de carte, **baralho**
jeudi, **quinta-feira**
jeune, **jovem, novo**
jeune fille, **moça**
jeune homme, serveur, **moço**
jouer (sport, cartes), **jogar**
jouer (musique), **tocar**
jouer (s'amuser), **brincar**
joue, **bochecha**
jouet, **brinquedo**
jour férié, **feriado**
journal, **jornal**
journaliste ,**jornalista**
journée, jour, **dia**
JT, **jornal**
juif / juive, **judéu / judia**
juillet, **julho**
juin, **junho**
jupe, **saia**
jus de fruits, **suco de fruta**

jusqu'à, **até**
kilomètre, **quilômetro**
kiosque à journaux, **banca de jornais**

lac, **lago**
lagune, **lagoa**
laine, **lã**
laisser un message, **deixar um recado**
lait, **leite**
laitue, **alface**
langouste, **lagosta**
langue, **língua**
lard, **toucinho, bacon**
lardon, **torresmo**
large, **amplo / largo**
laurier, **louro**

lavage, **lavagem**
légume, **legume**
lendemain, **dia seguinte**
lentement, **devagar**
lettre, **carta**
lèvre, **lábio**
lier, **prender**
lin, **linho**
lire, **ler**
lit, **cama**
livraison, **entrega**
livrer, **entregar**
location, **aluguel**
loge, **camarote**
loin, **longe**
loisir, **lazer**
long, **comprido**
louer, **alugar**
lundi, **segunda-feira**
lunettes de soleil, **óculos**

magasin, boutique, **loja, butique**
magnifique, **magnífico**
mai, **maio**
maigre, **magro**
maillot de bain (1 pièce), **maiô**
main, **mão**
maire, **prefeito**
mairie, **prefeitura**
mais, **mas**
maïs, **milho**
maison, **casa**
maison rurale, **quinta, fazenda, sítio**
mal, **mau**
malade, **doente**
maladie, **doença**
mensuel, **mensal**
menton, **queixo**
menu, **cardápio / menu**
mer, **mar**
merci, **obrigado/ obrigada**
mercredi, **quarta-feira**
mère, **mãe**
messe, **missa**
mesure, **tamanho**
métro, **metrô**
meuble, **móvel**
meublé, **mobiliado**
midi, **meio dia**
miel, **mel**

migraine, **enchaqueca**
ministre, **ministro**
minuit, **meia noite**
minute, **minuto**
mobilier, **mobília**
modèle, **modelo**
mois, **mês**
monnaie, **moeda**
monnaie (petite), **troco**
montagne, **erra**
montre, **relógios**
morne, **orro**
mosquée, **mesquita**
moulin à sucre, **engenho**
mourir, **morrer / falecer**
mouton, **carneiro**
moyen, truc, **jeito**
moyen de transport, **meio de transporte**
mulato, **mulâtre**
musée, **muséu**
musique, **música**
musulman, **muçulmano**

nager, **nadar**
naître, **nascer**
nappe, **toalha de mesa**
nausée, **enjôo**
ne pas être à la mode, **estar fora de moda**
neige, **neve**
neuf, **nove**
neuvième, **nono**
neveu, **sobrinho**
nez, **nariz**
nièce, **sobrinha**
noir (couleur), **preto**
noir (race), **negro**
noix de cajou, **castanha de caju**
noix de coco, **coco**
nom, **sobrenome**
non, **não**
non fumeur, **não fumante**
nord, **norte**
note (addition), **conta**
nounou, **babá**
nous, **nós**
nouveau, **novo**
novembre, **novembro**
nuage, **nuvem**
nuageux, **nublado**

nuit, **noite**
numéro, **número**

obéir, **obedecer**
occasion, **oportunidade**
occasion (d'), **usado, de segunda mão**
occupé, **ocupado**
octobre, **outubro**
odorat, **olfato**
œil, **olho**
œuf, **ovo**
office, **copa**
oignon, **cebola**
on, **a gente**
oncle, **tio**
onze, **onze**
opération, **cirurgia**
orage, **temporal**
orange (couleur), **cor-de-laranja**
orange (fruit), **laranja**
ordinateur, **computador**
ordonnance, **receita**
oreiller, **travesseiro**
oreille, **orelha**
orthodoxe, **ortodoxo**
os, **osso**
ótimo, **super**
où, **onde/ cadê**
ouest, **oeste**
oui, **sim**
ouïe, **ouvido**
ouvrir / ouvert, **abrir / aberto**

page, **página**
pain, **pão**
palmes, **barbatanas**
panneau (routier), **placa**
pansement, **curativo, band-aid**
pantalon, **calça**
papaye, **mamão**
paradis, **paraíso**
parassol, **guarda-sol**
pardon, **com licença / desculpe**
parents (la famille), **parentes**
parents (père et mère), **pais**
parfum, **perfume**
parler, **falar**
parrain, **padrinho**
partir, **sair, partir, ir embora**
passé(e), **passado / passada**

passeport, **passaporte**
passer une commande, **encomendar**
pastèque, **melancia**
pâte, **massa**
pâté de maison, **quadra**
pâtés en croûte, **recheados**
paupières, **pálperas**
payer, **pagar**
péage, **pedágio**
peau, **pele**
pêche, **pesca**
pêcher, **pescar**
pension complète, **pensão completa**
percussion, **bateria**
perdre, **perder**
père, **pai**
permis de conduire, **carteira de motorista**
personne, **pessoa**
peser, **pesar**
petit / bas, **baixo**
petit café, **cafezinho**
petit déjeuner, **café da manhã**
petit écran, **telinha**
peu, **pouco**
peut-être, **talvez**
pharmacie, **farmácia**
photocopie, **xerox**
pièce (de monnaie), **moeda**
pied, **pé**
pierre semi-précieuse, **pedra semi-preciosa**
piéton, **transeunte**
pile (heure), **em ponto**
piment, **pimenta**
pincée, **pitada**
pire, **pior**
piscine, **piscina**
place, **praça**
place (transport), **vaga**
place de parking, **vaga**
plage, **praia**
plan, **mapa**
plateau, **planalto**
plats, **pratos**
pleuvoir, **chover**
plongée (sous marine), **mergulho**
pluie, **chuva**
plus, **mais**
plus grand, **maior**

plus petit, **menor**
pluvieux, **chuvoso**
pneu, **pneu**
pointure, **tamanho**
poire, **pêra**
poisson, **peixe**
poitrine, **peito**
poivron, **pimentão**
polonais, **poloneses**
pomme, **maçã**
ponctualité, **pontualidade**
pop-corn, **pipoca**
porc, **porco**
porte, **porta**
porter (les bagages), **carregar(a bagagem)**
porter (vêtement), **vestir**
portugais, **português**
poser une question, **perguntar**
possible, **possível**
poste, **correio**
poulet, **frango**
pour, **para**
pourboire, **gorjeta**
pourcentage, **percentagem**
pourquoi, **por que**
pouvoir, **poder**
premier, **primeiro**
prendre, **tomar**
prendre (un transport), **pegar**
prénom, **nome**
près, **perto**
préservatif, **camisinha**
presse, **imprensa**
prêtre, **padre**
prier, **rezar**
printemps, **primaveira**
privé, **particular**
prix, **preço**
probable, **provável**
problème, **problema**
procession, **procissão**
prochain, **próximo**
professeur, **professor**
profiter, **curtir, aproveitar**
promener (se), **passear**
propriété terrienne, **fazenda**
protestant, **protestante**
prune, **ameixa**
publicité, **comercial**

pulpe, **polpa**
PV, **multa**

quai, **cais**
quand, **quando**
quarante, **quarenta**
quart, **quarto**
quartier, **bairro**
quatorze, **quatorze**
quatre, **quatro**
quatre-vingt, **oitenta**
quatre-vingt-dix, **noventa**
quatrième, **quarto**
quinze, **quinze**
quotidien, **diário**

raccrocher le téléphone, **desligar / pôr no gancho**
radio, **rádio**
raisin, **uva**
randonnée, **trilha**
raquette, **raqueta**
rater, **perder**
rayure, **risca**
recevoir, **receber**
reçu, **recibo**
réduction, **desconto**
réfrigérateur, **geladeira / frigobar**
refroidir, **esfriar**
regarder (à la TV), **assistir**
régime, **dieta**
région, **região**
reins, **rins**
remplir le formulaire, **preencher o formulário**
rendez-vous, **compromisso**
repas, **refeições**
répondeur, **secretária eletrônica**
répondre (au tel.), **atender**
réserver / la réservation, **reservar / a reserva**
restaurant, **restaurante**
rester, **ficar**
retard, **atraso**
retard (être en), **estar atrasado, atrasar**
réveiller, **acordar**
revue, **revista**
riche, **rico**
rien, **nada**
rivière, **rio**

riz, **arroz**
robe, **vestido**
rose, **cor-de-rosa**
rôti, **assado**
rouge, **vermelho**
ruban, **fita**
rue, **rua**

s'il vous plaît, **por favor**
sable, **areia**
sac, **bolsa**
sac à dos, **mochila**
saisons, **estações**
salade, **salada**
salgadinho, **petit four salé**
salle à manger, **sala de jantar**
salle de bain, **banho (quarto de)**
salle de sport, **fitness center**
salle des fêtes, **salão de festas**
salon, **sala (de estar)**
salut, **oi**
samedi,**sábado**
sang, **sangue**
sans, **sem**
santé, **saúde**
sauce, **molho**
sauce à l'oignon, **molho acebolado**
saucisse, **lingüiça**
sauna, **sauna**
savoir, **saber**
scotch, **durex**
se passer (arriver), **acontecer**
sec, **seco**
sécheresse, **seca**
secrétaire, **secretária**
sécurité, **segurança**
sein, **seio**
seize, **dezesseis**
sel, **sal**
semaine, **semana**
sens, **sentidos**
sens interdit, **mão única**
sept, **sete**
septembre, **setembro**
septième, **sétimo**
serré, **apertado**
serveur, **garçom**
service, **serviço**
serviette de table, **guardanapo**
serviette de bain, **toalha de banho**

serviette hygénique, **absorvente feminino**
servir, **servir**
short, **short**
siècle, **século**
siège, **poltrona / assento**
signer / signature, **assinar / assinatura**
six, **seis**
sixième, **sexto**
soda, **refrigerante**
sœur, **irmã**
soif, **sede**
soigner, **curar**
soir, **noite**
soixante, **sessenta**
soixante-dix, **setenta**
soldes, **liquidações**
soleil, **sol**
sombre, **escuro**
sommeil, **sono**
sorbet, **sorvete**
sortie, **saída**
sortir, **sair**
soupe, **sopa**
sourcils, **sobrancelhas**
spectacle, **espetáculo**
sports, **esportes**
sucre, **açúcar**
sucré, **doce**
sucre artificiel, **adoçante**
sud, **sul**
suisse, **suísso**
suivant, **seguinte**
supermarché, **supermercado**
supporter, **torcer**
supporter (un), **torcedor**
supporter, endurer, **agüentar**
surf, **surfe**
sympathique, **simpático**

table, **mesa**
taille, **tamanho**
tante, **tia**
tarder, **demorar**
tasse, **xícara**
taux, **taxa**
taxe d'embarquement, **taxa de embarque**
taxe de service, **taxa de serviço**
taxi, **taxi**
tee-shirt, **telefone**

téléphone, **telefone**
téléphone portable, **celular**
téléphoner, **telefonar / ligar**
télévision, **televisão**
température, **temperatura**
temps, **tempo**
tennis, **tênis**
terminer, **acabar**
terrain de foot, **campo**
terrains de tennis, **quadra**
tête, **cabeça**
thé, **chá**
thème(carnaval), **enredo**
thermos, **isopôr**
ticket, **ficha**
timbre, **selo**
tisane,**chá**
tomate, **tomate**
tong, **chinelo**
tonnerre, **trovoada, trovão**
tôt, **cedo**
toucher (le), **tato**
toujours, **sempre**
touriste, **turista**
tourner, **virar**
tousser, **tosser**
train, **trem**
traite, **prestação**
tramway, **bonde**
tranquille, **tranqüilo**
transports interurbains, **transportes interurbanos.**
travailler, **trabalhar**
travaux, **obras**
treize, **treze**
trente, **trinta**
très, **muito**
trois, **três**
troisième, **terceiro**
trop, **demais**
trouver, **encontrar**
truc, **jeito**
tu, **você**
tunnel, **túnel**
TV à cable, **TV a cabo**
ukrainien, **ucraniano**
un, **um**
une (la), **manchete**
uni, **liso**
urgence, **emergência**

vacances, **férias**
vague, **onda**
valise, **mala**
veau, **vitela**
veille (la), **véspera**
vendeur, **vendedor**
vendre, **vender**
vendredi, **sexta-feira**
venir, **vir**
vent, **vento**
venteux, **ventoso**
ventre, **barriga**
vérité, **verdade**
verre, **copo**
verser des arrhes, **deixar um sinal**
vert, **verde**
veuf / veuve, **viúvo/ viúva**
viande, **carne**
vieux, **idoso**
vigile, **segurança**
vin blanc, **vinho branco**
vin rouge, **vinho tinto**
vingt, **vinte**
virage, **curva**
visage, **rosto , cara**
visiter, **visitar**
vitesse, **velocidade**
vitrine, **vitrine**
voir, **ver**
voiture, **carro**
vol, **vôo**
vol intérieur, **vôo doméstico**
voler / volé, **roubar / roubado**
vomir, **vomitar**
vouloir, **querer**
vous, **o Sr, a Sra, o Srs, a Sras, vocês**
voyage, **viagem**
voyager, **viajar**
vrai, **verdade**
vraiment, **mesmo**
vue, **vista**

INDEX GRAMMATICAL

INDEX THÉMATIQUE

Cet ouvrage a été composé par Atelier JOMI & DÉCLINAISONS

Impression réalisée sur Presse Offset par

BRODARD & TAUPIN

GROUPE CPI

19720 – La Flèche (Sarthe), le 18-06-2003
Dépôt légal : août 2003

POCKET – 12, avenue d'Italie - 75627 Paris cedex 13
Tél. : 01.44.16.05.00

Imprimé en France